KB197949

틱낫한의 평화

틱낫한의
평화

–
틱낫한

김동섭 옮김

인벅투스

2

변모와
치유

3

발걸음마다
평화

이 책은 대단히 가치 있는 책이다

개인의 내적인 변모를 통해 세계 평화를 이룩하겠다는 시도는 어려운 일이다. 하지만 그것이 유일한 길이다. 나는 어디를 가든 이런 뜻을 밝힌다. 각계각층의 사람들이 이를 받아들여주니 용기도 생긴다. 평화는 개인의 내면에서부터 생겨나야 한다. 그리고 내 생각에는 사랑과 측은지심과 이타심이 평화의 근본적인 토대다. 개인의 내면에서 이런 품성이 가꾸어지면 평화와 조화의 기운을 일으킬 수 있게 된다. 이 기운은 개인에서 가정으로, 가정에서 지역 사회로, 그리고 궁극적으로는 온 세계로 확산되고 확장될 수 있다.

〈틱낫한의 평화〉는 바로 이런 여정을 위한 지침서다. 틱낫한 스님은 호흡의 알아차림과 일상의 작은 행동에의 깨어 있음을 가르친 뒤 알아차림과 집중의 이로움을 어떻게 활용해 힘든 심리 상태를 변모시키고 치유할 것인지를 알려준다. 스님은 마지막으로 개인적이고 내적인 평화와 온 누리의 평화가 연관되어 있음을 보여준다. 이 책은 대단히 가치 있는 책이다. 개인의 삶과 우리 사회의 삶을 바꾸어 놓을 수 있어서다.

_달라이 라마

* 알아차림(Mindfulness)
알아차림은 지금 이 순간 내 몸 안팎에서 일어나고 있는 일에 주의를 기울여 '있는 그대로 본다'는 뜻의 명상 수행용어이다. 가장 기본적인 것이 숨을 들이쉬고 내쉬는 것을 아는 일이다. 국내에서는 Mindfulness를 대체로 '마음 챙김'이라고 번역해 쓰고 있으나 이 책의 문맥에는 맞지 않아 알아차림을 역어로 썼음을 밝힌다.

살아 있는 순간에 평화 만들기

오늘 아침 초록의 오크 나무 숲속을 천천히, 알아차림의 상태로 거닐고 있는데 찬란한 붉은 오렌지빛 태양이 지평선 위로 올라왔다. 문득 인도의 모습들이 떠올랐다. 우리는 재작년 부처님이 가르침을 설파하던 곳들을 찾기 위해 틱낫한 스님과 인도에서 만났다. 보드가야 근처의 동굴 쪽으로 걷다가 우리는 논으로 둘러싸인 들판에서 걸음을 멈추고 이 시를 읊었다.

발걸음마다 평화

빛나는 붉은 태양은 나의 심장.

꽃들은 나와 함께 미소 짓고.

커가는 모든 것이 더없이 초록으로 싱싱하네.

바람은 더없이 시원하고.

발걸음마다 평화.

끝없이 이어지는 길을 기쁨으로 바꿔놓네.

이 시는 틱낫한 스님이 전하는 메시지의 핵심을 담고 있다. 평화는 밖에 있는 것이 아니고 쫓아다니거나 손에 넣을 수 있는 것이 아니라는 것. 알아차림의 상태로 살고, 속도를 늦추고, 발걸음과 호흡을 즐기면 된다. 평화는 내딛는 발걸음 속에 이미 있다. 이렇게 걸으면 우리 발밑에 꽃이 필 것이다. 꽃들은 우리에게 미소 짓고 우리가 가는 길에 행복을 빌어줄 것이다.

내가 틱낫한 스님을 만난 건 1982년, 스님이 뉴욕의 '생명 존중' 회의에 참석했을 때다. 나는 스님이 만난 최초의 미국인 불교도 가운데 한 명이었다. 외모나 옷차림, 그리고 어느 정도는 행동거지가 스님이 20년 동안 베트남에서 가르친 불교 초심자와 같았던 게 스님의 마음을 사로잡았다. 그 이듬해 나의 스승인 리처드 베이커 로시가 샌프란

시스코에 있는 우리 명상원을 방문해 달라고 초대하자 스님은 기꺼이 수락했다. 이 온화한 스님의 비범한 인생 역정의 새로운 단계는 이렇게 해서 시작됐다. 스승은 스님을 가리켜 "구름, 달팽이와 그리고 현대와의 조화-진정한 종교적 존재"라고 했다.

틱낫한 스님은 1926년 베트남 중부에서 태어났다. 1942년 열여섯 살의 나이에 출가했다. 8년 후 그는 남베트남 최고의 불교학 중심지로 발돋움한 안캉 불교 연구소를 공동 설립했다.

1961년 스님은 미국으로 유학을 와 컬럼비아 대학과 프린스턴 대학에서 비교종교학을 연구하고 가르쳤다. 그러다가 1963년 베트남의 동료 승려들로부터 폭압적인 '고 딘 디엠(Ngo Dinh Diem)' 정권 붕괴를 계기로 반전 운동을 펼치고 있는데 고국으로 돌아와 손잡고 일해 보자는 전보가 날아들었다. 그는 즉시 귀국해 오로지 간디의 원칙에 입각한 20세기 최대의 비폭력 저항 운동을 이끄는 데 힘을 보탰다.

1964년 베트남의 대학 교수, 학생들과 함께 틱낫한 스님은 미국 언론에 '작은 평화 봉사단'으로 소개된 사회봉사 청년 학교를 설립했다. 젊은이들은 농촌으로 들어가 학교와 진료소를 세우고 나중에는 폭격당한 마을을 재건하는 일까지 했다. 사이공 함락 시점에 이르러서는 만여 명의 비구와 비구니, 젊은 사회 운동가들이 이 작업에 참여했다. 같은 해 그는 베트남 최고의 권위 있는 출판사의 하나가 된 〈라보이 출판〉을 설립하는 데 일조했다. 자신의 저서를 통해 그리고 베트남 통합 승단의 공식 간행물 편집장으로서 그는 베트남의 교전 당사자 간 화해를 촉구했다. 이 일로 인해 그의 저술은 대립하는 남북 베트남 정부 모두에게 검열을 받았다.

 1966년 동료 승려들의 강력한 권유로 그는 "베트남의 말없는 대중들의 염원과 고뇌를 알리기 위해" 미국의 평화운동 단체인 '화해 친교단'과 코넬대의 방미 초청장을 받아들였다. 그는 수많은 강연 약속과 비공식 회동으로 빡빡한 일정을 보냈으며 베트남전 휴전과 협상을 통한 타결을 설득력 있게 촉구했다. 마틴 루터 킹 목사는 "온화한

이 베트남 승려만큼 노벨 평화상을 받을 자격이 있는 사람을 알지 못한다."며 그를 1967년 노벨 평화상 후보로 추천했다. 틱낫한 스님의 영향을 받은 킹 목사는 시카고의 기자 회견장에 함께 나타나 공개적으로 반전 발언을 하기도 했다.

저명한 카톨릭 수사이자 신비주의자인 토마스 머튼은 켄터키 주 루이스빌 부근에 있는 자신의 겟세마니 수도원에서 틱낫한을 만나고는 제자들에게 이렇게 말했다. "문을 열고 방에 들어오는 태도 그 자체에서 그의 깨달음이 여실히 드러난다. 그는 진정한 승려이다." 머튼은 그 뒤 에세이를 통해서도 이렇게 썼다. "틱낫한은 나의 형제다." 틱낫한의 평화안에 귀 기울이고 그의 평화 옹호론에 전폭적 지원을 보내 달라는 간절한 호소였다. 워싱턴에서 풀브라이트, 케네디 상원의원 그리고 맥나마라 국방장관 등 주요 인사들과 만난 틱낫한 스님은 유럽으로 건너가 국가 수반들을 만나고 교황 바울 6세를 두 차례 알현하는 등 카톨릭 교회 관계자들과도 만나 베트남의 평화를 위해 카톨릭과 불교계의 협력을 촉구했다.

1969년 베트남 통합 승단의 요청으로 틱낫한은 파리평화협상에 파견할 불교평화대표단을 구성했다. 1973년 평화 협정이 체결되자 틱낫한 스님의 베트남 귀국은 허용되지 않았다. 그는 파리에서 남서쪽으로 100마일 떨어진 곳에 '스위트 포테이토(Sweet Potato)' 라는 작은 수행 공동체를 세웠다. 1976년과 77년 두 해 동안 틱낫한 스님은 태국 남부의 시암만에서 보트 피플 구출작전을 폈다. 그러나 태국과 싱가포르 정부의 적대적인 태도 때문에 밀고나갈 수가 없었다. 그래서 그 이후 5년간 그는 '스위트 포테이토'에서 칩거하며 명상, 독서, 저술, 도서 제본, 원예를 하고 이따금씩 방문객들을 맞았다.

1982년 6월 틱낫한 스님은 뉴욕을 방문했고 그 해 후반에 보르도 지방 부근에 규모가 더 큰 선원(禪院)인 플럼 빌리지(Plum Village)를 세웠다. 플럼 빌리지는 포도원과 밀, 옥수수, 해바라기 밭으로 둘러싸여 있다. 1983년 이래로 그는 2년에 한번씩 북미를 방문해 안거 수행을 이끌고 "살아 있는 순간에 평화만들기"를 강조하며 알아차림의 상태로 살기와 사회적 책임에 대해 강론을 했다.

틱낫한 스님은 모국 베트남을 방문할 수 없는 처지이지만 그의 저술 필사본들은 지속적으로 지하에서 유통되고 있다. 그의 존재감은 세계 곳곳에서 활동하는 제자들과 동료들을 통해 확인되고 있다. 틱낫한 스님의 제자들과 동료들은 기아선상에 있는 가정을 은밀히 지원하는 등 베트남의 극빈층이 겪는 고통을 덜어주고, 신념과 예술 때문에 투옥된 작가와 화가, 비구와 비구니들을 대신해 운동을 펼치기 위해 애쓰고 있다. 본국 강제 송환 위협에 시달리는 난민들과 태국, 말레이시아, 홍콩의 수용소에 있는 난민들에게 물질적이고 정신적인 지원을 아낌없이 하고 있다.

틱낫한 스님은 20세기의 위대한 스승의 한 사람으로 우리 사회가 속도와 능률, 물질적 성공을 강조하는 그 한가운데서 그 자신 평화와 깨어 있음의 상태로 편안하게 걷고 우리에게도 똑같이 따라하라고 가르침으로써 서구에서는 열렬한 환대를 받고 있다. 그의 표현 양식은 단순하지만 그 메시지는 명상과 불교적 수련과 바깥세상 활동에서 우러나온 현실에 대한 깊은 이해의 진수를 보여준다.

그의 가르치는 방식은 호흡을 자각하는, 의식적 호흡을 중심으로 하고 있으며 의식적 호흡을 통해 일상생활의 개별 행위를 알아차리는 것이다. 명상은 명상원에서만 하는 것이 아니라고 그는 말한다. 접시를 알아차림의 상태로 닦는 것은 절을 하고 향을 피우는 것만큼이나 성스러운 일이다. 그는 또 우리 얼굴에 미소를 띠면 우리 몸 안에 있는 수백 개의 근육이 풀어진다고 말한다(그는 이것을 '입 요가(Mouth Yoga)'라고 부른다.) 실제로 최근의 연구는 우리가 얼굴 근육을 풀어 기쁜 표정을 지으면, 진짜 기쁠 때 신경계에 나타나는 효과가 그대로 나타난다는 사실을 보여준다. 우리가 잡념을 잠재우고 지금 이 순간으로 돌아와 푸른 하늘과 어린아이의 미소와 아름다운 해돋이를 알아차릴 수 있다면 평화와 행복은 우리 곁에 있다고 스님은 일깨워준다. "우리가 평화롭고 행복하다면 우리는 미소 지을 수 있다. 그리고 우리 가족과 우리 전 사회의 구성원들은 우리의 평화로부터 득을 보게 될 것이다."

〈틱낫한의 평화〉는 우리를 일깨워주는 책이다. 우리는 현대 생활의 분주함 속에서 매 순간마다 접할 수 있는 평화를 놓치기 십상이다. 틱낫한 스님의 창의성은 우리에게 압박을 가하고 반감을 불러일으키는 바로 그 상황을 활용할 줄 아는 데 있다. 스님에게는 전화벨도 진정한 나로 돌아오게 해주는 신호다. 더러운 접시와 빨간 신호등, 교통체증도 알아차림의 길로 이끄는 정신적 친구들이다. 가장 심오한 만족과 가장 깊은 기쁨과 완결성은 우리가 지금 당장 행할 수 있는 호흡과 미소만큼이나 가까이에 있다.

〈틱낫한의 평화〉는 틱낫한 스님의 강론과 출판되거나 미발표된 저술, 그리고 타이 낫한(Thây 타이는 베트남어로 선생님이란 뜻이다.)과 가깝게 일한 테레즈 피츠제랄드, 마이클 캐츠, 제인 허쉬필드와 밴텀 출판사의 세심하고 철저한 편집자인 레슬리 메레디스 등과 나눈 사적 대화를 정리해 엮은 책이다. '민들레 시'를 쓴 매리언 트립에게 특별한 감사를 드린다.

이 책은 다른 사람들을 깨우치는 데 일생을 바친 위대한 대승불교의 이상적 수행자가 지금까지 내놓은 가장 분명하고 가장 완결된 메시지다. 틱낫한 스님의 가르침은 감화를 주는 동시에 매우 실용적인 것이다. 우리가 이 책을 즐거운 마음으로 펴낸 것처럼 독자들도 즐겁게 이 책을 읽기를 바란다.

_ 프랑스 떼냐에서
아놀드 코틀러

1

숨 쉬어라!
그대는
살아 있다

더없이
새로운 24시간

매일 아침 눈을 뜰 때마다 우리는 더없이 새로운 24시간을 선물받는다. 얼마나 귀중한 선물인가! 우리는 이 24시간이 우리 자신과 다른 이들에게 평화와 기쁨과 행복을 가져다주는 방식으로 살 능력을 갖고 있다.

평화는 바로 여기 지금, 우리 자신 안에 그리고 우리가 하는 일, 보는 일 모든 것에 깃들어 있다. 문제는 우리가 그것과 접촉하느냐 못하느냐이다. 우리는 푸른 하늘을 즐기기 위해 멀리 여행갈 필요가 없다. 아름다운 어린아이의 눈을 음미하기 위해 살고 있는 도시나 동네를 떠날 필요도 없다. 우리가 마시는 공기조차 기쁨의 근원이 될 수 있으니까.

우리는 우리 곁의 풍요로운 행복을 느낄 수 있도록 미소 짓고 숨쉬고 걷고 식사를 할 수 있다.

우리는 살아가는 걸 준비하는 데는 대단히 능숙하지만 사는 것 그 자체에는 별로 능숙하지 못하다. 우리는 학위를 받기 위해 10년을 어떻게 희생할 지를 안다. 또 직장을 구하고 차를 사고 집을 장만하는 등의 목적을 위해 열심히 일하겠다는 의지도 있다. 그러나 지금 이 순간, 우리가 살아 있는 유일한 순간에 살아 있다는 걸 떠올리는 데는 어려움을 겪는다. 우리의 모든 호흡과 모든 발걸음은 평화와 기쁨과 고요함으로 충만할 수 있다. 지금 이 순간에 깨어 있고 살아 있기만 하면 된다.

이 작은 책은 알아차림의 종소리, 행복은 오로지 지금 이 순간에만 가능함을 상기시켜주는 알림이다. 물론 미래를 계획하는 것도 삶의 일부다. 그러나 계획하는 것조차 지금 이 순간에만 가능하다. 이 책은 지금 이 순간으로 돌아와 평화와 기쁨을 찾으라는 초대장이다.

나 자신의 경험과 도움이 될 만한 수행 방법들을 소개한다. 그렇다고 평화를 찾기 위해 이 책을 다 읽을 때까지 기다릴 필요는 없다. 평화와 행복은 매 순간에 있다. 평화는 우리가 내딛는 발걸음마다 있다. 함께 손 붙잡고 여행을 떠나보자.

민들레 속에
내 미소가 있다

어린아이가 미소 짓고 어른이 미소 짓는다면 그건 대단히 중요한 것이다. 일상생활에서 미소 지을 수 있고 평화롭고 행복할 수 있다면 우리 자신뿐만 아니라 모든 사람이 이득을 보게 된다. 우리가 정말로 어떻게 살아야 하는지를 안다면 미소로 하루를 시작하는 것보다 더 좋은 방법이 있을까? 우리의 미소는 평화와 기쁨 속에서 살겠다는 지각과 의지의 징표이다. 진정한 미소의 근원은 깨우친 마음이다.

어떻게 하면 잠에서 깨어나 잊지 않고 미소 지을 수 있을까? 나뭇가지나 잎사귀, 그림 또는 감명 깊은 문구 같은 표시를 창문이나 침대 위 천장에 매달아 놓으면 잠에서 깨어나 알아차릴 수 있다. 미소 짓는 습관을 들이면 표시가 필요 없어질 것이다. 새가 지저귀거나 햇살이 창문으로 흘러들어오면 곧바로 미소 짓게 될 것이다. 미소를 지으면 온화한 마음과 이해심을 갖고 그날 하루를 대하는 데 도움이 된다.

누군가가 미소 짓는 걸 보면 나는 그 사람이 깨어 있는 상태임을 금세 안다.

웃는 듯 마는 듯한 미소, 얼마나 많은 예술가들이 무수한 조각과 그림의 입술에 이 미소를 담기 위해 애를 써 왔는가? 나는 그 조각가들과 화가들의 얼굴도 똑같은 미소를 띠고 있었다고 확신한다. 성난 화가가 그런 미소를 만들어낼 수 있을까? 모나리자의 미소는 그런 기색만 살짝 비친 엷은 미소다. 하지만 그런 미소조차 얼굴의 모든 근육을 풀어주고 모든 걱정과 피로를 쫓아버린다. 우리 입술에 돋아난 자그마한 미소의 싹은 깨어 있음에 자양분을 주고 놀랄 만큼 우리를 차분하게 만든다. 그것은 우리가 이미 잃어버렸다고 생각하는 평화를 되돌려준다.

우리의 미소는 우리 자신과 주변의 사람들에게 행복을 가져다줄 것이다. 우리 가족 모두에게 줄 선물을 사는 데 아무리 많은 돈을 쓴다 한들 깨어 있음의 선물인 미소만큼 그들에게 큰 행복을 가져다주는 건 없다. 이 귀중한 선물은 돈도 전혀 들지 않는다. 캘리포니아에서 안거 수행이 끝날 무렵 한 친구가 이런 시를 썼다.

나는 미소를 잃었다.
그러나 걱정할 거 없다.
민들레가 미소 짓고 있으니.

미소를 잃었다 해도 민들레가 그 미소를 간직하고 있다는 걸 볼 수 있다면 사정은 그리 나쁘지 않다. 미소가 거기 있다는 걸 볼 정도의 알아차림은 할 수 있으니 말이다. 의식적으로 숨을 한두 번 쉬기만 하면 미소를 되찾을 것이다. 민들레는 당신의 친구들 중 하나이다. 민들레는 아주 충직하게 거기에서 당신을 위해 당신의 미소를 간직하고 있다.

　사실 주위의 모든 것이 당신을 위해 미소를 간직하고 있다. 소외
됐다는 느낌을 가질 필요가 없다. 당신은 주위와 당신의 내면에서 보
내는 성원에 마음을 열기만 하면 된다. 민들레가 자기의 미소를 간직
하고 있다는 것을 본 친구처럼 당신도 깨어 있음의 상태로 숨 쉴 수
있고 미소 짓게 될 것이다.

.

의식적 호흡

삶을 더 생생하고 즐겁게 만들 수 있는 호흡 기법은 많이 있다. 첫 번째 훈련은 아주 간단하다. 숨을 들이마시면서 스스로에게 말한다. "숨을 들이마실 때 나는 숨을 들이마시고 있다는 걸 안다." 그리고 숨을 내쉬면서 말한다. "숨을 내쉴 때 나는 숨을 내쉬고 있다는 걸 안다." 그러면 끝이다. 들숨을 들숨으로 알아차리고 날숨을 날숨으로 알아차리는 것이다. 문장 전체를 암송할 필요조차 없이 그저 "들이쉰다." "내쉰다." 두 마디만 해도 된다. 이 방법은 마음을 호흡에 집중시키는 데 도움이 된다. 이런 수행을 하면 숨쉬기가 평화로워지고 온화해진다. 마음과 몸 또한 평화로워지고 온화해질 것이다. 이건 어려운 훈련이 아니다. 단 몇 분 안에 명상의 보람을 느끼게 될 것이다.

숨을 들이마시고 내쉬는 건 매우 중요하며 즐거운 일이다. 호흡은 우리의 몸과 마음을 연결시켜주는 고리다. 때로 우리 마음은 어떤 걸 생각하는데 몸은 다른 걸 한다면 마음과 몸이 하나가 되지 못한다. 들이마시고 내쉬는 호흡에 주의를 집중시키면 몸과 마음이 다시 합쳐져 온전한 전체가 된다. 의식적 호흡은 중요한 가교이다.

나에게 호흡은 놓칠 수 없는 기쁨이다. 매일 나는 의식적 호흡 수행을 한다. 명상실에는 이런 문구가 있다. "숨 쉬어라. 그대는 살아 있다!" 숨 쉬고 미소 짓는 것만으로도 대단히 행복해질 수 있다. 의식적으로 호흡하면 우리 자신을 완전히 되찾을 수 있고 지금 이 순간의 삶과 마주칠 수 있기 때문이다.

지금 이 순간,
경이로운 순간

바쁘게 움직이는 사회에서 이따금씩 의식
적으로 호흡할 수 있다면 큰 복이다. 우리는 명상실에 앉아 있든 사
무실이나 집에 있든, 운전을 하든 버스에 타고 있든 어디에 있든지
간에 어느 때든 의식적 호흡 수행을 할 수 있다.

의식적으로 호흡을 할 수 있도록 도와주는 훈련은 아주 많다. 간
단한 "들숨 날숨" 훈련 말고도 숨을 들이마시고 내쉴 때 아래의 4행
을 암송해도 된다.

숨을 들이마실 때 내 몸은 편안해진다.

숨을 내쉴 때 난 미소 짓는다.

지금 이 순간에 살면서,

난 지금이 경이로운 순간임을 안다!

"숨을 들이마실 때 내 몸은 편안해진다." 첫 행을 암송하는 건 무더운 날에 시원한 레모네이드 한 잔을 마시는 것과 같다. 시원한 게 몸에 스며드는 걸 느낄 수 있다. 나는 숨을 들이마시며 첫 행을 암송할 때 실제로 내 숨결이 몸과 마음을 차분하게 만드는 걸 느낀다.

"숨을 내쉴 때 난 미소 짓는다." 미소를 지으면 여러분 얼굴의 수 백 개의 근육이 풀리는 걸 알 것이다. 얼굴에 띄운 미소는 여러분이 스스로의 주인임을 알리는 신호다.

"지금 이 순간에 살면서." 난 여기 앉아 있는 동안 다른 건 전혀 생각하지 않는다. 난 여기 앉아 있고 내가 어디에 있는지 정확히 안다.

"난 지금이 경이로운 순간임을 안다." 안정되고 편안한 자세로 앉아서 우리의 호흡과 미소와 본성으로 되돌아온다는 건 기쁨이다. 살아 있음과의 약속은 지금 이 순간이다. 바로 지금 평화와 기쁨을 느끼지 못한다면 언제 느끼는가? 내일 아니면 내일 지나? 바로 지금 행복을 느낄 수 없게 가로막는 건 무엇인가? 호흡을 따라가면서 그저 말하면 된다.

"차분해지고 미소 지으며 지금 이 순간, 경이로운 순간."

이 수행법은 초심자들을 위한 것만은 아니다. 명상과 의식적 호흡을 40년, 50년 해온 많은 이들도 똑같은 방법으로 수행한다. 이런 훈련은 매우 중요하고 아주 쉽기 때문이다.

덜 생각하기

의식적 호흡 수행을 하고 있는 동안에는 생각의 속도가 느려져 진정한 휴식을 취할 수 있다. 대부분의 시간에 우리는 생각을 너무 많이 한다. 알아차림의 상태로 호흡을 하면 편안해지고 긴장이 풀어져서 평화로워지는 데 도움이 된다. 너무 생각을 많이 하지 않게 해주고 과거의 슬픔과 미래에 대한 걱정에 사로잡히지 않게 해준다. 의식적 호흡은 지금 이 순간에 경이로운 삶과 접할 수 있게 해준다.

물론 생각은 중요하다. 그러나 너무 많은 생각은 쓸모없는 것이다. 머릿속에 밤낮으로 돌아가는 카세트 테이프를 갖고 있는 거나 마찬가지다. 이 생각, 저 생각을 하다보니 멈추기가 어렵다. 카세트 테이프는 정지 버튼을 누르면 그만이지만 생각에는 아무런 버튼도 달려 있지 않다. 하도 많이 생각하고 걱정하다 잠을 못 잘 수도 있다. 병원에 가서 수면제나 진정제 처방을 받으면 상황이 더 나빠질 가능성이 높다. 그렇게 자면 진짜 휴식을 취하는 게 아니기 때문이다. 이런 약을 계속 쓰면 중독이 될 수도 있다. 계속 긴장하며 살다 보면 악몽을 꿀 수도 있다.

의식적 호흡 수행법을 따르면 숨을 들이마시고 내쉴 때 생각이 멈추게 된다. "들이마신다" "내쉰다"는 생각이 아니다. 그건 호흡에 집중할 수 있게 해주는 낱말일 뿐이다. 이런 식으로 몇 분간 숨을 들이마시고 내쉬면 상당히 기분이 상쾌해진다. 스스로를 되찾고 지금 이 순간 우리 곁에 있는 아름다운 것들과 마주할 수 있게 된다. 과거는 지나갔고 미래는 아직 오지 않았다. 지금 이 순간에 스스로에게 돌아가지 못하면 살아 있음과 접할 수 없다.

우리 안이나 주변의 상쾌하고 평화롭고 치유를 해주는 요소들과 접하면 이런 것들을 어떻게 간직하고 보호하고 더 자라나게 할 수 있는지를 알게 된다. 평화의 이런 요소들은 언제라도 우리가 구할 수 있는 것들이다.

매 순간 깨어 있음에
자양분 주기

어느 추운 겨울날 저녁 나지막한 산에 올라갔다가 돌아와 보니 암자의 문과 창문이 죄다 바람에 열어젖혀져 있었다. 암자를 나서면서 단속을 해두지 않았던 것이다. 찬바람이 집 안에 휘몰아치면서 창문이 활짝 열리고 종이들이 책상에서 날려 방 여기저기에 흩어져 있었다. 즉시 문과 창문을 닫고 등을 켜고 종이를 주워 책상 위에 가지런히 정리해 두었다. 그런 다음 난로에 불을 피웠다. 얼마 안 지나 장작이 타닥타닥 타더니 방 안이 다시 훈훈해졌다.

우리는 인파 속에 있으면 때론 지치고 춥고 외롭다. 거기서 벗어나 혼자 있고 싶어질 것이다. 내가 창문을 닫고 난로 옆에 앉아 축축하고 차가운 바람을 피한 것처럼 말이다. 우리의 감각은 세상을 향한 창문이다. 때로는 바람이 뚫고 들어와 우리 안의 모든 걸 어지럽힌다. 어떤 사람들은 창문을 마냥 열어 두어 세상의 온갖 모습과 소리가 쳐들어오고 뚫고 들어와 슬프고 괴로운 자아가 드러나게끔 한다. 그러면 너무 춥고 외롭고 두려워진다. TV로 무서운 방송을 보고 있으면서도 끄지 못한 적이 없는가? 포탄의 굉음과 폭발은 마음을 불안하게 만든다. 그런데도 일어나 TV를 끄지 못한다. 왜 이런 식으로 스스로를 고문하는가? 창문을 닫고 싶지 않은가? 스스로와 대면할 때 느끼는 공허함과 외로움, 그 고독이 무서운가?

나쁜 TV 방송을 보면 우리 자신이 그 방송처럼 되어 버린다. 우리라는 존재는 느끼고 인지하는 바 그대로다. 화를 내면 우리 자신이 화가 된다. 사랑을 하면 우리 자신이 사랑이다. 눈 덮인 산꼭대기를 보면 우리가 산이다. 우리는 바라는 대로 다 될 수 있다. 그런데 왜 프로듀서들이 돈을 쉽게 벌려고 만든 선정적인 TV 프로그램, 가슴이 쿵쾅거리고 주먹이 쥐어지고 지치게 만드는 나쁜 프로그램에 창

문을 열어 주는가? 누가 그런 프로를 만들게 내버려두고 아주 어린
아이들까지도 보게 놔두는가? 바로 우리다! 우리는 너무 의지가 약
해 화면에 나오는 건 뭐든지 보려고 하고 너무 외롭고 게으르고 지루
함을 느껴 스스로의 삶을 가꾸지 못한다. 우리는 TV를 켜면 그 상태
로 그냥 내버려둔다. 다른 사람이 우리를 인도하고 어떤 형상으로 만
들고 파괴하게 만든다. 이런 식으로 스스로를 잃어버리는 것은 책임
감 있게 행동하지 않을 수도 있는 사람들에게 우리 운명을 맡기는 것
이다. 어느 프로그램이 우리 신경계와 마음과 가슴에 해를 끼치는지,
어느 프로그램이 도움이 되는지를 똑바로 알고 있어야 한다.

물론 나는 TV에 대해서만 얘기하는 건 아니다. 우리 주변에 이웃
들과 우리 스스로가 놓은 유혹의 덫이 얼마나 많은가? 단 하루 동안
에도 그 덫 때문에 스스로를 잃어버리고 흩어지는 경우가 얼마나 많
은가? 우리의 운명과 평화를 보호하기 위해서는 정신을 바짝 차려
야 한다. 창문을 다 닫자는 얘기가 아니다. 우리가 '외부'라고 부르는
세상에는 경이로운 일이 많기 때문이다. 우리는 이런 경이로움에 창
문을 열고 깨어 있음의 상태로 바라볼 수 있다. 이런 식으로 흐르는
맑은 시냇가에 앉아 있거나 아름다운 음악을 듣거나 훌륭한 영화를

볼 때에도 시냇물이나 음악이나 영화에 우리를 내맡길 필요는 없다. 그럴 때에도 우리 자신과 우리의 호흡을 끊임없이 자각할 수 있다. 깨어 있음의 태양이 우리 안에서 빛날 때 대부분의 위험은 피할 수 있다. 시냇물은 더욱 맑아질 것이고 음악은 더욱 조화롭게 들릴 것이고 영화 제작자의 영혼을 꿰뚫어볼 수 있을 것이다.

명상 수행의 초심자들은 도시를 떠나 한적한 교외로 나가 마음을 어지럽히는 창문을 모두 닫고 싶어질지도 모른다. 교외로 나가면 바깥 세상의 혼돈에 휩쓸리지 않고 조용한 숲과 하나가 되고 스스로를 다시 발견하고 되찾을 수 있다.

상쾌하고 조용한 숲은 우리가 깨어 있음의 상태를 유지하는 데 도움이 된다. 깨어 있음의 뿌리가 튼튼해 흔들림 없이 그 상태를 유지할 수 있으면 도시로 돌아가 번뇌를 덜 느끼며 거기에 머무르고 싶다는 생각이 들 것이다. 그러나 도시를 떠나지 못하는 경우도 있다. 그럴 때는 바쁜 일상의 바로 한가운데서 마음을 치유해줄 수 있는 상쾌하고 평화로운 요소들을 찾을 수밖에 없다. 위로해줄 친한 친구를 찾아가거나 공원에 산책을 나가 나무와 시원한 바람을 즐기고 싶어질 것이다. 도시에 있든 교외에 있든 황야로 나가든, 세심하게 주위

환경을 선택해 매 순간 깨어 있음에 자양분을 줌으로써 스스로를 지
탱할 필요가 있다.

어디에
앉아 있든

속도를 늦춰 스스로에게 돌아갈 필요가 있다 해서 꼭 명상 방석이 있는 집으로 달려가거나 명상원을 찾아 의식적 호흡 수행을 할 필요는 없다. 어디서든 호흡을 할 수 있다. 사무실 의자에 앉아서 할 수도 있고 차 안에 앉아서도 할 수 있다. 사람들로 붐비는 쇼핑센터에 있거나 은행에서 줄을 서 기다릴 때 고갈된 느낌이 들어 스스로에게 돌아갈 필요가 있을 때는 그 자리에 그냥 서서 의식적으로 호흡하고 미소 짓는 수행을 할 수 있다.

어디에 있든 알아차림의 상태로 호흡할 수 있다. 우리는 누구나 삶의 여러 어려움에 맞설 수 있도록 때로는 스스로에게 돌아올 필요가 있다. 서 있든, 앉아 있든, 누워 있든, 걷든 어떤 자세로도 할 수 있다. 그러나 앉아 있을 수 있다면 앉아 있는 자세가 가장 안정적이다.

한번은 뉴욕 케네디 공항에서 출발이 4시간이나 지연된 비행기를 기다리고 있었다. 나는 즐거운 마음으로 대기 구역에서 책상다리를 하고 앉았다. 스웨터를 둘둘 말아 방석으로 삼았다. 사람들은 나를 호기심어린 눈초리로 바라보더니 조금 지나니까 다들 무관심해져 편안하게 앉았다. 쉴 곳도 전혀 없었고 공항이 사람들로 붐벼 그냥 있는 자리에서 스스로를 편안하게 했다. 이렇게 눈에 띄게 명상을 하고 싶지는 않을지 모르지만 어느 때 어떤 자세라도 알아차림의 상태로 호흡하면 스스로를 되찾는데 도움이 된다.

좌선

명상의 가장 안정된 자세는 책상다리를 하고 방석 위에 앉는 것이다. 몸을 받쳐줄 만한 두께의 방석이면 된다. 반가부좌나 결가부좌의 자세가 몸과 마음의 안정을 찾는 데 안성맞춤이다. 가부좌 자세로 앉으려면 한쪽 다리(반가부좌) 또는 양쪽 다리(결가부좌)를 반대편 허벅지 위에 살며시 올려놓으면 된다. 가부좌 자세가 어려우면 그냥 책상다리를 하든 아니면 다른 어떤 편한 자세를 취해도 좋다. 허리를 곧게 펴고 눈을 반쯤 감고 무릎 위에 편안하게 손을 포개 놓으면 된다. 의자에 앉아 발을 바닥에 평평하게 내려놓고 손을 무릎 위에 가만히 올려놓는 자세가 좋다면 그렇게 해도 무방하다. 다리를 조금 벌린 상태로 쭉 펴고 팔은 가급적 손바닥을 위로 해 양옆에 두고 바닥에 누울 수도 있다.

좌선을 할 때 집중력이 흐트러질 정도로 다리나 발이 저리거나 통증이 온다면 주저하지 말고 자세를 바꿔라. 호흡과 몸의 움직임에 따라 천천히 주의 깊게 좌선을 하면 단 한순간도 집중력을 잃지 않을 것이다. 고통이 심하면 일어나 천천히 알아차림의 상태로 걷고 준비가 되면 다시 앉아라.

어떤 명상원에서는 좌선을 할 때 참가자들이 자리를 뜨지 못하게 하기도 한다. 그러면 큰 불편을 감수할 수밖에 없다. 나는 이것이 자연스럽지 못하다고 본다. 우리 몸의 일부가 감각이 마비되거나 통증이 있다면 뭔가 경고를 하는 것이다. 그 소리에 귀 기울여야 한다. 우리는 평화와 기쁨과 비폭력을 가꾸기 위해 명상을 하는 것이지, 육체적인 고통을 견디어내고 우리 몸을 해치기 위해 명상을 하는 것이 아니다. 발의 위치를 잠시 바꾸고 걷기 명상을 하는 것은 다른 사람에게 큰 방해도 되지 않으면서 우리 자신에겐 큰 도움이 된다.

우리는 때로 굴 속으로 들어가는 토끼처럼 우리 자신과 삶으로부터 숨기 위한 방편으로 명상을 이용하기도 한다. 이렇게 하면 잠시 걱정거리를 피할 수 있을지 모르지만 '굴'에서 나오면 다시 또 부딪쳐야 한다. 예를 들어 아주 치열하게 명상을 하면 기진맥진한 상태가 돼 온갖 번뇌와 씨름하는 데 들어갈 에너지가 고갈되면서 일종의 안도감을 느낄지도 모른다. 그러나 에너지가 다시 충전되면 우리가 안고 있는 문제는 다시 또 찾아올 것이다.

우리는 일상생활을 하면서 조용하지만 꾸준히 일상의 문제들을 포함해 삶의 본성을 깊숙이 들여다볼 수 있는 기회나 자리를 낭비하지 말고 명상을 할 필요가 있다. 이런 식으로 명상을 하면 살아 있음과의 깊은 교감 속에서 사는 것이다.

알아차림의
종소리

내가 속한 불교 전통에서는 바로 이 순간으로 돌아오게 상기시켜주는 역할을 종소리가 한다. 종소리를 들을 때마다 말을 그치고 생각을 그치고, 숨을 들이쉬고 내쉬고 미소 지으며 스스로에게 돌아간다. 무엇을 하고 있든지 잠시 멈추고 그저 호흡을 즐긴다. 때로는 이런 구절을 암송하기도 한다.

들어라, 들어라.
경이로운 이 소리를 들으며 참나로 돌아간다.

숨을 들이쉬면서 "들어라, 들어라."를 말한다. 숨을 내쉬면서 "경이로운 이 소리를 들으며 참나로 돌아간다."를 말한다.

서양으로 건너온 뒤 사찰의 종소리를 들어본 일이 별로 없다. 하지만 다행히도 유럽에는 어딜 가나 교회 종이 있다. 미국에는 그렇게 많은 것 같지 않다. 유감스러운 일이다. 스위스에서 강론을 할 때는 늘 교회 종소리를 이용해 알아차림 명상을 하도록 했다. 종이 울리면 나는 말을 그친다. 모두 종소리에 한껏 귀를 기울인다. 매우 즐겁게 듣는다. 강론보다 더 낫다는 생각이다! 종소리를 들을 때 잠시 멈추고 호흡을 즐기며 우리를 둘러싸고 있는 삶의 경이로움과 접하는 것이다. 꽃, 아이들, 아름다운 소리들 말이다. 우리 스스로와 다시 접할 때마다 우리가 지금 이 순간의 살아 있음과 마주할 조건은 무르익게 된다.

버클리에서 어느 날, 나는 캘리포니아 대학의 교수들과 학생들에게 교정에 종소리가 울려 퍼질 때마다 잠시 하던 일을 멈추고 의식적 호흡을 하자고 제안했다. 모두가 시간을 갖고 살아 있음을 즐겨야 한다! 하루 종일 바쁘게 돌아다니기만 해서는 안 된다. 교회 종소리와 학교 종소리를 정말로 즐길 줄 알아야 한다. 종소리는 아름다운 것이고 우리를 깨워준다.

집에 종이 있으면 그 멋진 소리를 들으며 호흡하고 미소 짓는 수행을 할 수 있다. 그렇다고 사무실이나 공장에 종을 갖고 다닐 필요는 없다. 어떤 소리더라도 그 소리를 이용해 잠시 하던 일을 멈추고 숨을 들이쉬고 내쉬며 지금 이 순간을 즐기면 된다. 차 안에서 안전벨트를 매지 않았을 때 울리는 경고음도 일종의 알아차림의 종소리다. 창문을 통해 들어오는 햇살 같은, 소리 아닌 것조차도 우리 스스로에게 돌아와 호흡하고 미소 지으며 지금 이 순간에 한껏 살아 있도록 일깨워주는 알아차림의 종소리다.

어린 시절의
과자

내가 4살이었을 때 어머니는 시장에 갔다 오실 때마다 과자를 사다 주셨다. 나는 늘 앞뜰로 나가 천천히 과자를 먹었다. 과자 하나 먹는데 어떤 때는 30분 또는 45분이 걸렸다. 나는 한입 조금 베어 물고 하늘을 바라보았다. 그리고는 발로 강아지를 부비며 또 한입 조금 베어 물었다. 하늘과 땅과 대나무 덤불이며 고양이, 강아지, 꽃과 더불어 거기 그렇게 있는 게 좋았다. 걱정거리가 별로 없었기 때문에 그렇게 할 수 있었다. 미래를 생각하지도 않았고 과거를 후회하지도 않았다. 과자와 강아지, 대나무 덤불과 고양이 하며 모든 것과 더불어 나는 전적으로 그 순간에 있었다.

내가 어린 시절에 과자를 먹었던 것처럼 천천히 기쁜 마음으로 식사를 하는 것은 가능한 일이다. 어린 시절의 그 과자를 잃어버렸다고 생각할지 모르지만 그렇지 않다. 나는 그 과자가 아직도 거기에, 마음속 어딘가에 있다고 믿는다. 알아차림의 상태로 먹는 것은 아주 중요한 명상 수행이다. 어린 시절의 과자를 되살리는 식으로 먹을 수 있다. 지금 이 순간은 기쁨과 행복으로 채워져 있다. 주의를 기울이면 볼 수 있다.

감귤 명상

내가 갓 딴 감귤을 먹어보라고 권할 때, 여러분이 그걸 얼마나 즐겁게 먹느냐는 여러분의 알아차림에 달려 있다. 걱정 근심에서 벗어나 있으면 더욱 더 즐겁게 먹을 수 있다. 분노나 두려움에 사로잡혀 있다면 감귤은 진짜 감귤이 아닐지도 모른다.

어느 날, 나는 감귤이 가득 담긴 바구니를 어린아이들에게 건넸다. 바구니가 돌아가면서 아이들은 감귤 하나씩을 집어 손바닥 위에 올려놓았다. 각자 자기가 갖고 있는 감귤을 바라보았다. 나는 아이들에게 감귤의 기원에 대해 명상해보라고 권했다. 아이들은 감귤뿐만 아니라 그 어머니인 감귤 나무도 보았다. 약간의 지도를 해주었더니 아이들은 햇빛과 빗속에서 피어난 꽃을 머릿속에 그리기 시작했다. 그리고는 꽃잎이 떨어지고 작은 초록의 열매가 생겨나는 걸 보았다. 쉴 새 없이 햇볕이 쏟아지고 비가 내렸다. 작은 감귤은 자라났다. 누군가가 감귤을 땄고 그 감귤이 손 안에 있다. 그런 다음 엷은 안개와 감귤의 향기를 느끼며 껍질을 천천히 벗기도록 한 뒤 입으로 가져가 알아차림의 상태로 한입 베어 물게 했다. 감귤의 감촉과 맛과 우러나오는 즙을 완전히 알아차리면서 말이다. 우리는 그렇게 천천히 먹었다.

감귤을 볼 때마다 깊숙이 들여다보면 된다. 그러면 감귤 하나에서 우주의 모든 것을 볼 수 있게 된다. 껍질을 벗기고 그 내음을 맡으면 경이롭다. 천천히 감귤을 먹으면 매우 행복해진다.

성찬식

기독교의 성찬식은 일종의 '깨어 있음' 수
행이다. 예수는 빵을 쪼개 제자들과 함께 나누면서 이렇게 말했다.
"먹어라. 이건 내 몸이다." 예수는 제자들이 알아차림의 상태로 빵 한
조각을 먹으면 진정한 삶을 누리게 된다는 점을 알았다. 제자들은
일상생활을 하면서 무심코 빵을 먹었을 것이다. 그러니 그것은 전혀
빵이 아니었다. 환영일 뿐이었다. 우리는 살아가면서 주변의 사람들
을 본다. 그러나 알아차림이 없으면 그들은 진짜 사람이 아니라 유령
일 뿐이다. 우리 자신도 유령에 지나지 않는다. 알아차림 수행을 하

면 우리는 진짜 사람이 될 수 있다. 우리가 진짜 사람이면 주위의 사람도 진짜 사람이 되면 삶은 풍요로움으로 채워지게 된다. 빵을 먹거나 감귤을 먹거나 과자를 먹거나 수행은 같은 것이다.

호흡을 하고 알아차림의 상태를 유지하고 먹을거리를 깊숙이 들여다보면 바로 그 순간 삶은 실제가 된다. 내게는 성찬식이 훌륭한 알아차림 수행이다. 예수는 과감한 방법으로 제자들을 일깨우려 했던 것이다.

알아차림의
상태로 먹기

몇 년 전 나는 아이들에게 물었다 "아침을 먹는 목적이 무엇일까?" 한 아이가 대답했다. "그 날의 에너지를 얻기 위해서요." 다른 아이는 이렇게 답했다. "아침을 먹는 이유는 아침을 먹기 위해서예요." 나는 두 번째 아이 대답이 맞다고 생각한다. 먹는 목적은 먹는 것이다.

알아차림의 상태로 먹는 것은 중요한 수행이다. TV를 끄고 신문을 내려놓은 다음 같이 식탁도 차리고 남은 일을 마무리하며 5분이나

10분 정도 같이 일한다. 이 몇 분 동안에 우리는 행복감을 느낄 수 있다. 식탁에 음식을 갖다 놓고 다들 자리에 앉으면 의식적 호흡을 한다. "숨을 들이쉬면서 내 몸은 편안해진다. 숨을 내쉬면서 나는 미소 짓는다." 3번 반복한다. 이렇게 3번 호흡하고 나면 우리는 완전히 회복할 수 있다.

그 다음 숨을 들이쉬고 내쉬면서 한 사람 한 사람을 쳐다본다. 우리 자신과 식탁에 앉은 모든 사람을 접촉하기 위해서다. 어떤 사람을 아는데 두 시간이 필요한 건 아니다. 우리가 정말로 차분해져 있다면 1,2초만 쳐다보면 된다. 그러면 알게 된다. 5인 가족이라면 5초에서 10초 정도면 '쳐다보고 아는' 수행을 충분히 할 수 있다.

호흡을 한 뒤에는 미소 짓는다. 다른 사람들과 식탁에 앉아 있을 때 우리는 친근함과 이해가 담긴 진정한 미소를 건넬 기회가 있다. 매우 쉽지만 실천하는 사람은 많지 않다. 나로서는 이것이 가장 중요한 수행이다. 한 사람 한 사람 쳐다보고 그 사람에게 미소 짓는다. 호흡하고 미소 짓는 일은 대단히 중요한 수행이다. 한지붕 아래 사는 사람들이 서로에게 미소 지을 수 없다면 그건 매우 위험한 상황이다.

호흡하고 미소 지은 다음 음식을 내려다본다. 살아 있는 음식이 될 수 있게끔 봐야 한다. 이 음식은 우리와 대지의 연관성을 드러내준다. 베어 문 한 입은 태양과 지구의 생명을 담고 있다. 우리가 먹는 음식이 어느 정도 스스로를 드러내는가는 우리에게 달려 있다. 빵 한 조각에서 우주 전체를 보고 음미할 수 있다. 먹기 전에 몇 초 동안 음식을 응시하고 알아차림의 상태로 먹으면 큰 행복을 느낄 수 있다.

가족이나 친구들과 앉아서 훌륭한 음식을 먹을 기회가 있다는 것은 매우 소중한 일이다. 누구나가 그런 기회가 있는 것은 아니다. 이 세상에는 굶주리는 사람들이 많다. 밥 한 공기나 빵 한 조각을 들고 있을 때 나는 스스로 복 받은 사람이라고 느낀다. 먹을 것이 없거나 친구나 가족이 없는 모든 이들에게 측은지심을 느낀다. 이것은 매우 깊이 있는 수행이다. 이 수행을 하기 위해 따로 절이나 교회에 갈 필요는 없다. 저녁 먹는 식탁에서 곧바로 수행할 수 있다. 알아차림의 상태로 먹으면 측은지심과 이해의 씨앗을 키울 수 있다. 그러면 굶주리고 외로운 사람들이 자양분을 얻도록 도와주기 위해 뭔가를 하겠다는 마음이 커질 것이다.

식사 중에 알아차림을 지속하려면 이따금씩은 말없이 먹는 게 좋다. 처음에 말없이 식사하면 좀 불편함을 느낄 수도 있다. 그러나 일단 적응이 되면 말없이 하는 식사가 커다란 평화와 행복을 가져다준다는 걸 깨닫게 된다. 밥 먹기 전에 TV를 끄듯, 음식을 즐기고 같이 자리를 하고 있다는 걸 즐기기 위해 말을 '멈추는' 것이다.

매일 말없이 식사하라고 권하지는 않는다. 서로 얘기를 나누는 것도 알아차림의 상태로 자리를 같이 하는 훌륭한 방법이 될 수 있다. 하지만 얘기의 종류를 구별할 줄 알아야 한다. 어떤 얘깃거리는 우리를 갈라놓을 수 있다. 예를 들면 다른 사람들의 단점에 대해 얘기할 경우다. 이런 얘기가 식탁을 지배하게 되면, 정성껏 준비한 음식은 아무런 가치가 없을 것이다. 대신 음식에 대한 자각과 더불어 있다는 데 대한 자각을 키우는 얘기를 하면 우리가 성장하는 데 필요한 그런 행복을 가꾸게 된다. 다른 사람의 단점을 얘기하는 경험과 이 경험을 비교하면, 우리 입 속의 빵 조각에 대한 자각이 훨씬 더 큰 자양분이 된다는 것을 깨닫게 될 것이다. 생명을 불러들이고 진정한 살아 있음을 느끼게 된다.

그러니 먹을 때 우리 가족과 음식에 대한 깨어 있음을 방해하는 얘기는 피해야 한다. 하지만 깨어 있음과 행복을 키우는 얘기는 자유롭게 해야 한다. 예를 들어 여러분이 아주 좋아하는 요리가 있으면 다른 사람들도 그걸 맛있게 먹고 있는지 알아챌 수 있다. 그 중 누군가가 안 그렇다면 정성껏 준비한 그 훌륭한 요리를 맛보도록 도와줄 수 있다. 어떤 사람이 직장에서의 어려움이나 친구와의 문제 같은, 지금 식탁에 놓인 맛있는 음식과 상관없는 생각을 한다면 그 사람은 지금 이 순간과 음식을 놓치고 있는 것이다. 그 사람을 생각과 걱정에서 벗어나 지금 여기로 돌아와 즐겁게 여러분과 같이 있고 훌륭한 요리를 즐기게 하려면 "이 요리 매우 훌륭한데 그렇게 생각 안하세요?"라고 말하면 좋다. 여러분은 살아 있는 중생이 깨달음을 얻도록 도와주는 보살이 되는 것이다. 특히 어린이들은 알아차림 수행을 매우 잘 하고 다른 사람들도 그렇게 하도록 일깨워준다.

접시 닦기

내 생각에 접시를 닦는 게 못마땅하다는 느낌은 접시를 닦지 않을 때만 드는 것이다. 일단 소매를 걷어붙이고 따뜻한 물에 손을 담그고 싱크대 앞에 서면 정말 상당히 기분이 좋다. 나는 접시와 물과 매 순간의 손놀림을 한껏 알아차리며 접시와 시간을 보내는 게 즐겁다. 디저트를 빨리 먹기 위해 설거지를 서두르면 접시 닦는 시간은 못마땅하고 사는 재미도 느끼기 어렵게 된다는 것을 안다. 그것은 딱한 일이다. 삶의 1분, 1초가 기적이기 때문이다. 접시 자체와 내가 여기서 접시를 닦고 있다는 사실이 기적인 것이다!

내가 접시를 기쁜 마음으로 닦지 못하고 디저트를 먹기 위해 빨리 설거지를 끝내려 한다면 디저트도 즐거운 마음으로 먹을 수 없게 된다. 손에 포크를 들고 그 다음엔 뭘 하지 하고 생각하면, 디저트를 먹는 즐거움과 더불어 디저트의 감촉과 향기도 사라질 것이다. 항상 미래로 끌려 들어가 결코 지금 이 순간을 살 수 없게 될 것이다.

깨어 있음의 햇살 아래서는 모든 생각과 모든 행동이 신성해진다. 이 햇살 아래서는 신성함과 불경스러움 사이에 어떤 경계도 존재하지 않는다. 접시를 닦는데 시간이 좀 더 많이 걸린다는 점은 고백하지 않을 수 없다. 하지만 나는 매 순간 한껏 살아 있고 행복하다. 접시를 닦는 일이 수단이자 목적인 것이다. 접시를 깨끗하게 만들기 위해 접시를 닦기도 하지만 그저 접시를 닦기 위해, 접시를 닦으며 매 순간 한껏 살기 위해 접시를 닦는 것이다.

걷기 명상

걷기 명상은 매우 즐겁다. 천천히 혼자서 또는 친구들과 함께 가능하다면 좀 아름다운 곳에서 걷는 것이다. 걷기 명상은 걷는 걸 즐기기 위해서다. 어디에 도착하기 위해 걷는 게 아니라 그저 걷는 것이다. 그 목적은 지금 이 순간에 있기 위해서, 호흡과 걷기를 알아차리며, 한 걸음 한 걸음을 즐기기 위해서다. 그러므로 걱정과 근심은 다 떨쳐버려야 한다. 미래도 생각하지 말고 과거도 생각하지 말고 지금 이 순간을 그저 즐기는 것이다. 어린아이의 손을 잡고 걸을 수도 있다. 대지 위에서 가장 행복한 사람인 것처럼 걷는 것이다.

우리는 늘 걷지만 대체로 걷는 게 아니라 뛰는 것이다. 그렇게 걸으면 대지 위에 불안과 슬픔을 새기는 것이다. 평화로움과 고요함만 새길 수 있게 걸어야 한다. 절실히 원한다면 누구나 그렇게 할 수 있다. 아이들도 누구나 할 수 있다. 이런 식으로 한 걸음을 떼면 똑같이 두 걸음, 세 걸음, 네 걸음, 다섯 걸음 나아갈 수 있다. 평화롭고 행복하게 한 걸음을 떼면 인류 전체의 평화와 행복을 위해 일하는 것이 된다. 걷기 명상은 경이로운 수행이다.

밖에서 걷기 명상을 하면 평상시 속도보다 조금 느리게 걷는다. 호흡과 걸음을 맞추는 것이다. 예를 들어 한 번의 들숨과 함께 세 걸음을 걷고 한 번의 날숨과 함께 세 걸음을 걷는다. "들이쉬고 들이쉬고 들이쉬고 내쉬고 내쉬고 내쉬고" 이렇게 말하는 것이다. "들이쉬고" 는 들숨을 확인하는 데 도움이 된다. 어떤 것을 이름으로 부르면 친구 이름을 부르는 것처럼 더 생생해진다.

호흡이 세 걸음이 아니라 네 걸음에 맞으면 그렇게 하면 된다. 호흡이 두 걸음에 맞으면 두 걸음으로 해라. 들숨과 날숨의 길이가 똑같을 필요도 없다. 예를 들어 들이쉴 때 세 걸음, 내쉴 때 네 걸음 걸어도 된다. 걸을 때 행복하고 평화롭고 기쁨에 차 있으면 제대로 수행하는 것이다.

발과 대지의 접촉을 알아차려라. 발로 대지에 입맞춤하듯이 걸어라. 지금까지 우리는 지구에 많은 피해를 끼쳐왔다. 이제는 우리가 지구를 잘 보살필 때이다. 지구의 표면에 평화와 고요함을 가져다주고 사랑의 의미를 나눈다. 그런 정신으로 걷는 것이다. 이따금씩 아름다운 것을 볼 때는 잠시 걸음을 멈추고 바라봐도 된다. 나무와 꽃들, 뛰노는 아이들을 바라보면서 계속 호흡을 따라간다. 아름다운 꽃을 놓치지 않고 온갖 생각에 사로잡히지 않기 위해서다. 다시 걷고 싶으면 다시 시작하면 된다. 한 걸음 한 걸음 발을 뗄 때마다 시원한 산들바람을 일으켜 몸과 마음이 상쾌해진다. 우리 발밑에서는 꽃들이 피어난다. 미래와 과거를 생각하지 않고 살아 있음은 지금 이 순간에서만 찾을 수 있다는 사실을 알면 할 수 있다.

전화 명상

전화는 매우 편리하지만 우리를 괴롭힐 수도 있다. 전화벨 소리에 마음이 어지럽혀지고 전화가 너무 많이 와 삶이 방해받는 느낌이 든다. 전화로 얘기를 나눌 때 귀중한 시간과 돈을 낭비하며 통화를 하고 있다는 걸 잊기 쉽다. 보통 우리는 그렇게 중요하지 않은 얘기를 나눈다. 전화요금 고지서를 보고 그 액수에 움찔한 적이 얼마나 많은가? 전화벨 소리는 우리에게 일종의 떨림, 그리고 뭔가 불안감을 불러 일으킨다. "누구 전화지? 좋은 소식이야, 나쁜 소식이야?" 그러면서도 우리 안의 어떤 힘이 우리를 전화기로 끌고 간다. 뿌리치질 못한다. 전화의 희생자가 되는 것이다.

다음에 전화벨 소리가 들릴 때는 그 자리에서 움직이지 말고 의식적으로 숨을 들이쉬고 내쉬고 혼자 미소 짓고 이 구절을 암송하라. "들어라, 들어라. 경이로운 이 소리를 들으며 참나로 돌아간다." 두 번째 전화벨이 울릴 때 이 구절을 반복한다. 그러면 미소가 더 한층 단단해질 것이다. 미소 지으면 얼굴의 근육이 풀어지고 긴장이 금세 사라진다. 이렇게 호흡하고 미소 짓는 수행을 할 여유는 있다. 상대방이 전화로 얘기할 중요한 용건이 있으면 벨이 적어도 세 번 울릴 때까지는 분명히 기다릴 테니 말이다. 전화벨이 세 번 울릴 때 흔들림 없이 천천히 전화를 받으면서 호흡하고 미소 짓는다. 스스로의 주인이 되는 것이다. 여러분 자신을 위해서만이 아니라 상대방을 위해서도 미소 짓는다는 걸 안다. 여러분이 짜증나고 화난 상태면 상대방은 부정적 영향을 받을 것이다. 그러나 의식적으로 호흡하고 미소 지었기 때문에 여러분은 알아차림의 상태에 있다. 이때 전화하는 상대방은 얼마나 복 받은 사람인가!

전화를 걸기 전 숨을 세 번 들이쉬고 내쉰 뒤 버튼을 누르길. 상대방의 전화벨이 울릴 때 그 친구도 호흡하고 미소 짓는 수행을 하고 있어 벨이 세 번 울릴 때까지 전화를 받지 않으리라는 걸 여러분은 안다. 그러니 이렇게 혼잣말을 해라. "상대방이 호흡 수행하는데 나는 가만 있어?" 여러분도, 상대방도 호흡 수행을 하는 것이다. 이 얼마나 아름다운가!

꼭 명상실로 들어가 이 경이로운 명상 수행을 할 필요는 없다. 사무실에서도 집에서도 할 수 있다. 콜센터 직원들은 동시에 수많은 전화벨이 울려 명상 수행을 어떻게 할 수 있을지 모르겠다. 여러분들이 콜센터 직원이 전화 명상을 할 수 있는 방법을 찾아주었으면 한다. 전화 명상은 스트레스와 우울증을 해소시켜주며 우리 일상생활에 알아차림을 가져다준다.

운전 명상

4년 전 베트남에 있을 때 나는 스님들 중 처음으로 자전거를 탔다. 그 당시엔 승려답지 못한 행동으로 비쳐졌다. 그러나 요즘은 스님들이 오토바이도 타고 차도 몰고 다닌다. 명상도 현대화해 실제 상황에 맞도록 해야 한다. 그래서 차 시동을 걸기 전에 암송할 수 있는 간단한 시구를 만들어 보았다. 도움이 되기를 바란다.

차 시동을 걸기 전에,
나는 어디로 가는지를 안다.

차와 나는 하나다.

차가 빨리 가면 나도 빨리 간다.

차를 이용할 필요가 정말 없을 때도 있다. 그런데 우리 자신으로부터 벗어나고 싶어 차를 몰고 나간다. 우리 안에 어떤 공허함이 있다고 느끼는데 그것과 마주치고 싶지 않은 것이다. 우리는 그렇게 바쁘게 살고 싶지 않다. 그러나 시간 여유가 생길 때마다 우리 자신과 더불어 혼자 있는 걸 두려워한다. 탈출하고 싶어진다. TV를 켜거나 전화기를 집어들거나 소설을 읽거나 친구와 밖에 나가거나 차를 타고 어딘가로 간다. 문명은 우리에게 이런 식으로 가르치고 우리 자신과의 접촉을 끊는데 이용할 수 있는 것들을 많이 제공해준다. 자동차 키를 돌려 시동을 걸려 할 때 이 시구를 암송하면 횃불이 될 수 있다. 어디에 갈 필요가 없다는 걸 알게 될 수 있다. 어디에 가든 우리의 자아는 우리 곁을 떠나지 않는다. 자아를 버리고 도망칠 수가 없다. 그러니 차 시동을 걸지 않고 걷기 명상을 하러 나가는 게 더 낫고 더 기분 좋을 수 있다.

지난 몇 년 동안 2백만 평방 마일의 숲이 산성비로 파괴됐다고 한다. 자동차도 일부 원인이다. "차 시동을 걸기 전에 나는 어디로 가는 지를 안다."는 구절은 매우 심오한 화두다. 우리는 어디로 가는 것인 가? 우리 스스로를 파괴하러? 나무가 죽으면 우리 인간도 역시 죽게 된다. 차를 타고 이동할 일이 있으면 주저하지 말고 그렇게 하시라. 그 러나 그렇게 중요하지 않다고 생각되면 자동차 키를 빼놓고 강둑이 나 공원에서 걸으면 된다. 스스로에게 돌아오게 되고 나무들과 다시 친구가 된다.

"차와 나는 하나다." 우리는 우리가 주인이고 차는 도구에 불과하 다는 생각을 한다. 그러나 이것은 맞지 않다. 어떤 도구나 기계를 이 용할 때 우리는 변한다. 바이올린과 함께 있는 연주자는 매우 아름답 게 바뀐다. 총을 가진 사람은 매우 위험해진다. 차를 쓸 때 우리는 우 리 자신인 동시에 자동차다.

운전은 현대 사회에서 일상이다. 운전을 하지 말라는 얘기는 안 하 겠다. 대신 의식적으로 운전하길 권한다. 우리는 운전할 때 어디에 도 착하는 일만 생각한다. 그래서 빨간불이 들어올 때마다 기분이 별로 안 좋아진다. 빨간불은 목표 달성을 방해하는 일종의 적이다. 그러나 빨간불을 지금 이 순간으로 돌아오도록 일깨워주는 알아차림의 종소리로 활용할 수도 있다. 이 다음에 빨간불을 보면 미소 짓고 호흡해보기 바란다. "숨을 들이마시며 내 몸은 편안해진다. 숨을 내쉬며 나는 미소 짓는다." 짜증을 즐거운 기분으로 바꾸는 것은 이렇게 쉽다. 똑같은 빨간불이지만 의미가 달라진다. 우리가 살 수 있는 것은 오로지 지금 이 순간임을 기억하게 도와주는 친구가 된다.

몇 년 전 안거 수행을 위해 몬트리올에 갔을 때, 친구가 도시를 가로질러 산으로 차에 태워준 적이 있다. 앞에 가는 차가 설 때마다 번호판에 'Je me souviens'라는 문장이 쓰여 있는 게 눈에 들어왔다. '나는 기억한다'라는 뜻이다. 나는 그 사람들이 뭘 기억하고 싶어하는지 잘 몰랐다. 아마도 프랑스 태생을 기억하겠다는 뜻이 아닐까 싶다. 나는 친구에게 선물을 하나 주겠다고 말했다. "'Je me souviens'이라는 문장이 쓰여 있는 차를 볼 때마다 잊지 말고 호흡하고 미소 지으시게. 알아차림의 종소리로 생각하고. 몬트리올에서 차를 몰다 보면 호흡하고 미소 지을 기회가 많을 것이오."

그는 기뻐했고 친구들과 수행을 같이 했다. 나중에 그 친구가 프랑스로 날 찾아와서는 몬트리올에 있을 때보다 파리가 수행하기 더 어렵다고 말했다. 파리엔 'Je me souviens'란 문장이 안 보인다는 것이었다. 나는 이렇게 말해줬다. "파리에는 어딜 가나 빨간불이 있고 정지 신호가 있지 않소. 그걸 갖고 수행하는 게 어떻소?" 그 친구는 파리에서 몬트리올로 돌아간 뒤 내게 아주 즐거운 편지를 보내왔다. "스님, 파리에서의 수행은 아주 쉬웠습니다. 앞 차가 설 때마다 부처님이 내게 눈을 깜박거리셨어요. 나는 호흡하고 미소 지어 화답했습니다. 그것보다 더 좋은 대답은 없었습니다. 파리에서의 운전은 대단히 훌륭했습니다."

다음에 길이 꽉 막히더라도 싸우지 말라. 싸워봐야 소용없다. 몸을 뒤로 젖히고 스스로에게 측은지심과 자비의 미소를 지으면 된다. 호흡하고 미소 지으며 지금 이 순간을 즐기고 차 안에 같이 탄 사람들을 행복하게 만들어주어라. 어떻게 호흡하고 미소 짓는지를 알면 행복은 거기 있다. 행복은 늘 지금 이 순간에 찾을 수 있는 것이다. 명상 수행은 지금 이 순간으로 돌아와 꽃과 푸른 하늘, 아이와 마주하기 위함이다. 행복은 우리 곁에 있다.

칸막이
없애기

우리는 살아가면서 너무 많은 칸막이를 갖고 있다. 어떻게 하면 명상실을 벗어나 부엌과 사무실에서 명상을 할 수 있을 것인가? 명상실에서 우리는 조용히 앉아 매 호흡을 알아차리려고 애쓴다. 좌선이 어떻게 앉아 있지 않은 시간에 영향을 미칠 수 있는가? 의사가 주사를 놓으면 팔 뿐만 아니라 몸 전체가 그 덕을 본다. 30분간 매일 좌선을 하면 비단 그 30분에 그치는 것이 아니라 24시간 전체를 위한 것이 되어야 한다. 한 번의 미소와 한 번의 호흡은 그 순간만이 아니라 하루 온종일을 위한 것이 되어야 한다. 수행과 비수행의 경계를 허무는 방식으로 수행하지 않으면 안 된다.

명상실에서 걸을 때 우리는 조심스럽게 매우 천천히 발걸음을 뗀다. 그런데 공항이나 슈퍼에 갈 때는 아주 다른 사람이 된다. 매우 빨리 걷고 알아차림의 정도도 덜해진다. 공항이나 슈퍼에서 어떻게 알아차림 수행을 할 것인가? 내 친구 중에 전화 통화와 통화 사이에 짬을 내 호흡 명상을 하는 사람이 있다. 그렇게 하면 큰 도움이 된다고 한다. 다른 친구는 업무상의 약속과 약속 사이에 시간을 내 덴버 시내 건물 사이를 오가는 걷기 명상을 한다. 스쳐 지나가는 행인들이 보내는 미소 덕분에 까다로운 사람들과의 회의도 매우 기분 좋고 성공적으로 끝낼 수 있는 경우가 많다고 한다.

명상실에서 벗어나 일상에서 수행할 수 있도록 해야 한다. 어떻게 할 것인지 서로 의논해볼 필요가 있다. 여러분은 통화와 통화 사이에 호흡 수행을 하는지? 당근을 썰면서 미소 수행을 하는지? 여러 시간 고된 일을 하고 긴장을 푸는 수행을 하는지? 이것은 실질적인 문제들이다. 저녁 시간이나 여유 시간, 잠 잘 시간에 명상을 하는 방법을 알면 그것이 여러분의 일상을 파고 들어갈 것이고 사회 문제들에도 커다란 영향을 미칠 것이다. 매 분 매 시간 일상생활에 파고 들어갈 수 있다. 멀리 떨어져 있는 것을 가리키는 말이 아니다.

호흡과
낫질하기

낫으로 풀을 베어본 적이 있는지? 요즘에는 그런 사람이 별로 없다. 10년 전 암자 주변의 풀을 베려고 낫을 집으로 가져온 적이 있다. 일주일이 지나서야 낫질하는 최선의 방법을 찾았다. 서 있는 자세, 낫을 쥐는 방법, 풀에 닿는 날의 각도가 다 중요하다. 팔의 움직임을 호흡의 리듬에 맞춰 내가 하는 일을 자각하며 느긋하게 풀을 베면 긴 시간 작업할 수 있다는 사실을 알았다. 이렇게 하지 않으면 10분 만에 피곤해졌다.

지난 몇 년 동안 나는 스스로를 피곤하게 만들고 숨을 헐떡거리는 일을 피해왔다. 내 몸을 스스로 돌보고 음악가가 악기를 다루듯이 존중심을 갖고 내 몸을 다뤄야 하는 것이다. 나는 내 몸을 비폭력적으로 다룬다. 내 몸은 단순히 어떤 일을 이루기 위한 도구가 아니라 그 자체로 목적이기 때문이다. 나는 낫도 똑같이 다룬다. 호흡에 맞춰 낫질을 하면 낫과 내가 같은 리듬으로 숨쉰다는 것을 느낀다. 다른 도구들도 매한가지다.

어느 날 한 노인이 우리 동네에 와서 낫질하는 법을 알려주겠다고 했다. 그 노인은 나보다 훨씬 능숙했다. 그러나 낫질하는 동안 자세와 동작이 거의 한결같았다. 내가 놀란 것은 그 노인 역시 동작을 호흡에 맞춘다는 점이었다. 그 뒤로 나는 어떤 사람이 낫으로 풀을 베는 걸 볼 때마다 이 사람이 '깨어 있음' 수행을 하고 있구나 하고 느낀다.

목적 없음

서양 사람들은 목표 지향적이다. 어디로 가려고 하는지를 알고 거기에 가려고 방향을 잡는다. 이렇게 하는 게 유용할지는 몰라도 길에서 스스로를 즐기는 것은 잊기 십상이다.

불교에는 '바라는 게 없음', '목적 없음'을 뜻하는 말이 있다. 자기 앞에 무엇을 놓고 그것을 좇지 않는다는 뜻이다. 모든 것이 이미 여기, 자기 자신 안에 있기 때문이다. 걷기 명상을 할 때 우리는 어디 도착하려고 애쓰지 않는다. 평화롭고 행복한 발걸음을 뗄 뿐이다. 자꾸 미래를 생각하고 실현하고자 하는 바를 생각한다면 발걸음을 놓치게 된다. 좌선도 마찬가지다. 그저 앉아 있음을 즐기기 위해 앉는 것이다. 무슨 목표를 달성하려고 앉아 있는 것이 아니다. 이것은 대단히 중요하다. 좌선의 매 순간 우리는 살아 있음으로 되돌아온다. 좌선을 하는 내내 앉아 있음을 즐길 수 있게끔 앉아 있어야 한다. 감귤을 먹든, 차 한 잔을 마시든, 걷기 명상을 하든 '목적이 없는' 방식으로 해야 한다.

흔히 우리는 스스로에게 "가만히 앉아 있지만 말고, 뭘 좀 해!"라고 말한다. 그러나 '깨어 있음' 명상을 할 때 우리는 특이한 걸 발견한다. 그 반대가 더 도움이 된다는 걸 발견하는 것이다. "뭘 하려들지 말고, 가만히 좀 앉아 있어!" 이따금씩은 분명하게 보기 위해 가만히 있을 줄 알아야 한다. 처음엔 '멈춤'이 현대생활에 대한 일종의 저항으로 보일지 모르지만 실제는 그렇지 않다. 그것은 단순한 반응이 아니라 하나의 삶의 방식이다. 인류의 생존은 서두름을 멈추는 능력에 달려 있다. 5만 개가 넘는 핵무기가 있는데도 또 만드는 걸 멈추지 못한다. '멈춤'은 부정적인 것을 멈추는 데 그치지 않고 긍정적인 치유가 그 자리를 대신하도록 하기 위함이다. 그것이 수행의 목적이다. 삶을 피하는 것이 아니라 삶의 행복은 지금도 가능하고 미래에도 가능함을 경험하고 보여주기 위한 것이다.

행복의 토대는 알아차림이다. 행복의 기본 조건은 행복하다는 걸 스스로 자각하는 일이다. 우리가 행복하다는 것을 알아차리지 못하면 절대 행복해질 수 없다. 치통이 있으면 치통이 없다는 게 얼마나 좋은 일인지 안다. 그러나 치통이 없는데도 행복하지가 않다. 치통 없음은 아주 기분 좋은 일이다. 즐길 수 있는 일들은 아주 많다. 그러나 알아차림 수행을 하지 않으면 그 가치를 알지 못한다. 알아차림 수행을 하면 이런 것들을 소중히 하게 되고 보호할 줄 알게 된다. 이 순간을 잘 보살핌으로써 미래도 잘 보살피게 된다. 미래의 평화를 위해 일한다는 것은 지금 이 순간의 평화를 위해 일하는 것이다.

우리의 삶은
예술 작품

남 캘리포니아에서의 안거 수행이 끝나고 화가 한 사람이 내게 물었다. "꽃을 작품에 최대한 잘 살릴 수 있게 꽃을 보는 방법에 뭐가 있을까요?" 나는 이렇게 답했다. "그런 식으로 보면 꽃과 만날 수가 없어요. 꽃을 활용하거나 꽃에서 무엇을 얻으려는 생각 없이 꽃과 같이 있을 수 있게끔 모든 구상을 내려놓으세요." 이 화가가 또 내게 말했다. "친구와 같이 있으면 그 사람에게서 이득을 얻고 싶어요." 물론 친구에게서 이득을 얻을 수 있지만 친구는 이득을 주는 원천 이상의 것이다. 뒷받침해달라, 도와달라, 좋은 말을 해달라 하는 생각 없이 그저 친구와 같이 있는 것이 예술인 것이다.

무엇을 얻으려는 생각으로 사물을 바라보는 것이 일종의 습관이 돼버렸다. 우리는 그걸 실용주의라 부른다. 우리는 진리란 득이 되는 것이라고 말한다. 우리가 진리에 도달하기 위해 명상을 한다면 충분히 보상받을 듯하다. 명상을 할 때는 멈추고 깊이 들여다본다. 우리는 그저 거기에 있기 위해, 우리 자신 그리고 세계와 같이 있기 위해 멈춘다. 멈출 수 있을 때 보이기 시작하고 볼 수 있으면 이해가 된다. 평화와 행복은 이런 과정의 산물이다. 진정으로 우리 친구와 꽃과 같이 있으려면 멈춤의 기술을 완벽히 익혀야 한다.

이익을 얻는데 아주 익숙한 사회에 어떻게 하면 평화의 요소들을 전해줄 수 있을까? 어떻게 하면 미소가 외교술이 아니라 기쁨의 원천이 되게 만들 수 있을까? 우리 스스로에게 미소 지으면 그것은 외교술이 아니다. 그것은 우리가 우리 자신이고 스스로에 대해 절대적인 주권을 갖고 있다는 증거다. 우리는 '멈춤과 목적 없음과 그저 있음'에 대해 시를 쓸 수 있는가? 그것에 대해 어떤 그림을 그릴 수 있는가? 우리가 하는 모든 것을 알아차림의 상태로 하면 한 편의 시가 되고 한 폭의 그림이 된다. 상추를 기르는 것은 시다. 슈퍼에 걸어가는 것은 한 폭의 그림이 될 수 있다.

어떤 것이 예술 작품인지 아닌지에 대해 고민하지 않고, 매 순간 그저 평정심과 알아차림의 상태로 행동하면 삶의 매 순간이 예술 작품이 된다. 그림을 그리거나 글을 쓰지 않아도 창작을 하고 있는 것이다. 아름다움과 기쁨과 평화를 잉태하고 있고 많은 사람들을 위해 삶을 더욱 아름답게 만들고 있는 것이다. 어떤 때는 '예술'이라는 말을 동원해 예술을 얘기하지 않는 게 더 낫다. 깨어 있음과 고결성을 갖고 행하면 우리의 예술은 꽃 피울 것이고 예술에 대해 전혀 얘기할 필요가 없게 된다. 어떻게 '평화임'이 될 수 있는지를 알 때 우리는 예술이 평화로움을 나눌 수 있는 훌륭한 방법이라는 걸 발견한다. 예술적 표현은 어떤 식으로든 이뤄질 것이다. 하지만 '무엇임'은 본질이다. 그래서 우리 스스로에게 돌아가지 않으면 안된다. 우리 안에 기쁨과 평화가 있으면 우리의 예술 창작물은 아주 자연스러울 것이고 긍정적인 방식으로 세상에 봉사하게 될 것이다.

장애물로서의
희망

희망은 중요하다. 지금 이 순간의 견뎌냄을 덜 어렵게 만들 수 있기 때문이다. 내일이 더 낫다고 생각하면 오늘의 고난은 견뎌낼 수 있다. 그러나 그것이 희망이 할 수 있는 최대한이다. 고난을 좀 가볍게 해주는 것이다. 희망의 본성에 대해 깊이 생각할 때 나는 비극적인 그 무엇을 본다. 미래의 희망에 집착하기 때문에 에너지와 능력을 지금 이 순간에 집중하지 못한다. 우리는 미래에 더 좋은 일이 생길 것이라고 믿기 위해, 평화나 하느님의 왕국에 도달할 것이라고 믿기 위해 희망을 이용한다. 희망이 일종의 장애물이 되는 것이다. 희망하기를 자제한다면 스스로를 전적으로 지금 이 순간으로 데려와 이미 여기에 있는 기쁨을 발견할 수 있다.

깨달음과 평화와 기쁨은 다른 어떤 사람이 베풀 수 있는 게 아니다. 우물은 우리 안에 있다. 지금 이 순간을 깊이 파면 물이 솟구칠 것이다. 진정으로 살아 있기 위해서는 지금 이 순간으로 돌아가야 한다. 우리가 의식적 호흡을 하는 것은 모든 일이 일어나고 있는 지금 이 순간으로 돌아오기 위함이다.

서양 문명은 지금 이 순간을 희생한다는 뜻의 희망을 지나치게 강조한다. 희망은 미래를 위한 것이다. 그것은 지금 이 순간의 기쁨과 평화와 깨달음을 발견하는 데 도움을 주지 못한다. 많은 종교가 희망이라는 개념에 토대를 두고 있다. 희망을 자제하자는 가르침은 강한 반발을 살지도 모른다. 그러나 그 충격이 중요한 무엇을 일으킬 수 있다. 희망을 가져서는 안 된다는 뜻이 아니라 희망만으로는 충분치 않다는 얘기다. 희망은 장애물이 될 수 있다. 희망의 에너지에 안주하면 전적으로 지금 이 순간으로 돌아올 수 없게 될 것이다. 그 에너지를 지금 이 순간에 일어나고 있는 일을 알아차리는 데 돌릴 수 있다면, 여러분은 돌파구를 마련해 바로 지금 이 순간 여러분 내면과 주위의 모든 것에서 기쁨과 평화를 발견할 수 있을 것이다.

수백만 명을 감동시킨 20세기 중반 미국의 평화운동 지도자인 A. J. 머스트는 말했다. "평화로 가는 길은 없다. 평화가 길이다." 이 말은 우리의 표정과 미소와 말과 행동으로 바로 지금 이 순간 평화를 실현할 수 있다는 뜻이다. 평화 운동은 수단이 아니다. 내딛는 걸음마다 평화가 되어야 한다. 내딛는 걸음마다 기쁨이 되어야 한다. 행복이 되어야 한다. 결심하면 할 수 있다. 우리에게 미래는 필요하지 않다. 미소 짓고 긴장을 풀면 된다. 우리가 원하는 건 모두 다 바로 여기 지금 이 순간에 있다.

염화시중의
미소

선불교계에서 널리 회자되는 꽃에 대한 일화가 있다. 어느 날 부처님이 1250명의 비구와 비구니들이 모인 자리에서 꽃을 들어올렸다. 부처님은 꽤 오랜 시간을 아무 말도 하지 않았다. 승려들도 쥐 죽은 듯이 조용했다. 각자 부처님의 몸짓 뒤 숨은 뜻을 살피려고 열심히 궁리를 하는 것 같았다. 그런데 갑자기 부처님이 미소를 지었다. 부처님은 승려들 중 누군가가 자신과 꽃을 향해 미소 지었기 때문에 미소 지은 것이다. 그 승려의 이름은 마하가섭이었다. 미소를 지은 유일한 사람이 마하가섭이었다. 부처님은 미소로 화답하고 말했다. "내가 통찰력이라는 보물을 갖고 왔는데 마하가섭에게 전해주었노라." 이 이야기는 여러 세대에 걸쳐 선불교 수행승들의 토론 주제가 됐고 지금도 사람들은 그 의미를 찾고 있다. 나에겐 그 의미가 아주 단순하다. 누군가가 꽃을 들어올려 여러분에게 보여주는 건 그걸 봐달라는 뜻이다. 자꾸 무슨 생각을 하면 꽃을 놓치게 된다. 생각을 하지 않고 그냥 자기 자신이었던 그 사람은 깊은 곳에서 꽃과 마주할 수 있었고 미소 지었다.

그것은 살아 있음의 문제다. 우리가 완전히 자기 자신이 아니고 진정으로 지금 이 순간에 있지 않으면 모든 걸 놓치게 된다. 어린아이가 미소를 지으며 여러분 앞에 나타났는데 여러분은 미래나 과거를 생각하느라 또는 다른 골칫거리에 사로잡혀 진정으로 그 자리에 없다면, 그 어린아이도 정말로 그 자리에 있는 것이 아니다. 살아 있음의 기술은 그 어린아이가 경이로운 존재로 자기 앞에 나타나도록 스스로에게 돌아가는 것이다. 그러면 어린아이가 미소 짓는 걸 볼 수 있고 품안에 그 아이를 안을 수 있게 된다.

30년 전 베트남 호치민에서 28살의 나이로 세상을 떠난 내 친구의 유작시를 여러분과 같이 음미해보고 싶다. 그 친구가 세상을 떠난 뒤 사람들은 그가 쓴 아름다운 시를 많이 찾아냈다. 나는 이 시를 읽고 소스라치게 놀랐다. 몇 행 안 되지만 매우 아름다운 시다.

> 조용히 울타리 옆에 서서
> 그대는 경이로운 미소를 짓네.
> 나는 말을 잃고 오감은 가득 채워졌네
> 그대의 아름다운 노랫소리로,
> 시작도 없이 끝도 없이
> 나는 그대에게 깊숙이 고개 숙이네.

여기서 '그대'는 꽃이다. 다알리아다. 어느 날 아침 울타리 옆을 지나면서 작은 꽃을 매우 깊이 살펴보고 그 모습에 취해 그 자리에서 쓴 시다.

나는 이 시를 대단히 좋아한다. 여러분은 이 시인이 사물을 바라보고 살펴보는 방식이 대단히 심오해 신비주의자라고 생각할지 모른다. 그러나 그는 우리와 같은 그저 평범한 사람이었다. 나는 그가 어떻게 왜 그토록 깊이 있게 바라보고 살펴봤는지 알지 못하지만 우리가 알아차림 수행을 하는 것과 정확히 일치하는 방식이다.

우리는 차를 마시거나 걷거나 앉아 있거나 꽃꽂이를 할 때 살아 있음과 접하고 깊이 보려고 애쓴다. 성공의 비결은 진정으로 자기 자신이 되는 것이고 자기 자신이 될 때 지금 이 순간의 살아 있음과 마주할 수 있다.

호흡실

우리는 먹고 잠자고 TV를 보는 방은 다 있지만 아침에 명상을 하는 방은 없다. 집에 조그만 방을 하나 마련해 '호흡실'이라고 이름 붙이면 어떨까 생각한다. 이 방에서는 혼자 매번은 아니더라도 고통스러울 때 호흡하고 미소 짓는 수행을 할 수 있다. 이 조그만 방은 평화 왕국의 대사관쯤으로 생각하면 된다. 이 방은 존중되어야 하고 화나 고함 같은 걸로 어지럽혀서는 안 된다. 아이가 큰 소리로 야단을 맞을 것 같으면 이 방으로 몸을 피하면 된다. 아버지나 어머니도 더 이상 고함을 칠 수 없게 된다. 대사관 영내에서는 안전한 것이다.

부모들도 때로 이 방으로 몸을 피해 앉아서 숨쉬고 미소 짓고 스스로를 회복할 수 있다. 그러므로 이 방은 가족 모두를 위한 공간이 된다.

호흡실은 너무 화려하지 않게 아주 조촐하게 꾸미는 게 좋을 것 같다. 우리의 본성을 일깨우기 위해 아름다운 소리가 나는 작은 종과 방석이나 의자, 그리고 꽃병 정도가 있으면 좋을 것이다. 여러분이나 자녀들이 알아차림의 상태로 미소 지으며 꽃꽂이를 할 수도 있겠다. 좀 속상하다 싶을 때는 호흡실로 가서 문을 천천히 열고 앉아서 종을 울리고 호흡을 시작하는 게 최고라는 걸 여러분은 안다. 우리 베트남에서는 종을 '때린다'거나 '친다'는 표현을 안 쓴다. 종은 호흡실에 있는 사람뿐만 아니라 집에 있는 다른 사람들에게도 도움이 될 것이다.

남편이 짜증을 냈다고 치자. 호흡 수행을 배운 이상 그 방으로 들어가 앉아서 수행하는 게 최고라는 것을 안다. 남편이 어디로 갔는지 모를 수도 있다. 부엌에서 당근을 써느라 바빴으니까. 하지만 당신도 괴롭다. 남편과 방금 언쟁을 벌였기 때문이다. 당근을 좀 강하게 썰고 있다. 화의 에너지가 동작으로 옮아간 탓이다. 갑자기 종소리가 들린다. 그러면 당신은 어떻게 해야 하는지 안다. 당근 썰기를 그만두고 숨을 들이쉬고 내쉬는 것이다. 한결 기분이 풀리고, 화나면 어떻게 해야 하는지 아는 남편을 생각하며 미소 지을 수도 있다. 남편은 지금 호흡실에 앉아서 호흡하며 미소 짓고 있다. 멋진 광경이다. 그렇게 하는 사람은 많지 않다. 갑자기 부드러운 감정이 일어나 훨씬 기분이 좋아진다. 3번 호흡을 하고 나서 당근을 다시 썰기 시작한다. 이번에는 써는 강도가 아주 다르다.

집 안의 광경을 지켜본 아이는 일진광풍이 휘몰아치려는 찰나라는 걸 알았다. 아이는 자기 방으로 물러가 문을 닫고 숨죽이며 기다렸다. 그러나 광풍 대신에 종소리를 듣고는 상황이 어떻게 돌아가는지 이해했다. 이제는 안도감이 든다. 아버지에게 감사의 뜻을 전해주고 싶다. 아이는 호흡실로 천천히 발걸음을 옮겨 문을 열고 조용히 들어가 아버지 옆에 앉아 응원을 보낸다. 아버지에게도 큰 도움이 된다. 아버지는 이미 나갈 채비를 하고 있었다. 이제는 미소 지을 수 있기 때문에. 하지만 아이가 옆에 와 앉아 있으니 호흡 수행을 할 수 있도록 종을 다시 울리고 싶어진다.

부엌에서 당신은 두 번째 종소리를 듣는다. 당근을 써는 게 지금 할 수 있는 최상의 일이 아니라는 걸 안다. 그래서 당신은 칼을 내려놓고 호흡실로 들어간다. 남편은 당신이 들어오고 있다는 걸 안다. 본인은 이제 괜찮다는 걸 알지만 당신이 들어왔으니 좀 더 지키고 앉아 당신이 호흡 수행을 할 수 있도록 종을 울린다. 아름다운 광경이다. 아주 부자라면 반 고흐의 값비싼 그림을 사 거실에 걸어놓을 수도 있다. 하지만 호흡실의 이 광경보다 아름다움이 덜할 것이다. 평화와 화해의 수행은 인간 활동 중 가장 활력 넘치고 예술적인 것이다.

나는 자녀들이 아침 먹고 호흡실로 들어가 앉아서 들이쉬고 내쉬고 1번, 들이쉬고 내쉬고 2번, 들이쉬고 내쉬고 3번, 이런 식으로 10번까지 호흡 수행을 하고 학교에 가는 가족들을 안다. 자녀가 10번 호흡 수행을 하고 싶지 않을 경우 3번이면 족하다. 이런 식으로 하루를 시작하는 것은 매우 아름답고 가족 전체에 큰 도움이 된다. 아침에 알아차림의 상태가 되고 온종일 알아차림을 가꾸려고 노력하면 하루 일과를 마친 뒤 미소 지으며 집에 돌아올 수 있다. 알아차림 상태가 하루 종일 유지되었다는 증거다.

나는 모든 가정이 호흡 수행을 할 수 있는 방이 하나 있어야 한다고 생각한다.

의식적 호흡과 미소 짓기 같은 단순한 수행은 대단히 중요하다. 우리 문명을 바꿀 수도 있다.

여행을
계속하며

우리는 하루 종일 집이나 직장에서 완전한 깨어 있음 속에서 호흡하고 미소 짓는 법을 배우며 알아차림의 상태로 같이 걸어왔다. 알아차림의 상태로 먹고 접시를 닦고 운전하고 전화를 받고 낫으로 풀을 베는 일까지 얘기했다. 알아차림은 행복한 삶의 토대이다.

하지만 힘겨운 번뇌는 또 어떻게 상대해야 하나? 분노나 증오, 후회, 슬픔을 느낄 때는 어떻게 해야 하나? 나는 이런 심리 상태를 다루는 수행법을 지난 40년 동안 많이 배웠고 어떤 것들은 찾아냈다.
함께 여행을 계속하며 이런 수행법을 익혀보지 않겠는가?

2

변모와
치유

감정의 강

감정은 우리가 하는 모든 생각과 행동의 방향을 정하는데 매우 중요한 역할을 한다. 우리 안에는 감정의 강이 흐르고 있다. 이 강의 물방울 하나하나가 제각기 다른 감정이다. 그리고 개개의 감정은 생존을 위해 다른 모든 감정들에 의지한다. 이를 관찰하기 위해서는 그저 강둑에 앉아 개개의 감정이 일어나 흐르고 사라지는 걸 확인하면 된다.

감정은 기분 좋음과 기분 나쁨, 좋지도 나쁘지도 않음 3가지로 나뉜다. 여러분은 기분 나쁜 감정이 생기면 떨쳐내려 할 것이다. 그러나 의식적 호흡으로 돌아가 그 감정을 관찰하고 조용히 스스로에게 그 실체를 보여주는 것이 더 효과적이다.

"숨을 들이쉬며 나는 내 안에 기분 나쁜 감정이 있다는 걸 안다. 숨을 내쉬며 나는 내 안에 기분 나쁜 감정이 있다는 걸 안다." 어떤 감정을 희·로·애·락 같은 이름으로 부르면 그 감정의 실체를 분명히 확인하고 좀 더 깊이 인식하는데 도움이 된다.

우리의 감정과 접촉하고 그것을 받아들이기 위해 호흡을 이용할 수 있다. 의식적 호흡의 자연스런 결과로 호흡이 가볍고 차분해지면 우리의 마음과 몸은 서서히 가볍고 차분하고 맑아지며 우리의 감정도 마찬가지다. 알아차림 상태의 관찰은 "불이(不二, non-duality 인식하는 '나'와 대상이 하나되는 상태)"의 원칙에 토대를 두고 있다. 우리의 감정은 우리와 따로 떨어져 있는 것이 아니며 단순히 바깥의 어떤 것이 원인이 되어 일어난 것도 아니다. 우리의 감정은 우리이고 이 순간 우리는 그 감정이다. 우리는 그 감정에 빠져 허우적대거나 겁을 집어먹지도 않으며 그것을 내치지도 않는다. 우리 감정에 집착하지 않고 내치지도 않는 태도는 내버려두기의 태도다. 명상 수행의 중요한 부분이다.

기분 나쁜 감정들을 보살핌과 애정과 비폭력으로 마주하면, 우리에게 자양분을 주는 건강한 에너지로 승화시킬 수 있다.

알아차림의 상태로 살피는 작업을 통해 기분 나쁜 감정들은 우리에게 많은 것을 밝게 비춰주고 통찰력을 주고 우리 자신과 사회에 대한 이해를 가져다줄 수 있다.

수술 안 하기

서양 의학은 수술을 지나치게 강조한다. 의사들은 불필요한 부분을 떼어내고 싶어 한다. 우리 몸 안에 비정상적인 것이 있으면 의사들은 툭하면 수술을 받으라고 한다. 심리 치료에서도 마찬가지인 것 같다. 치료사들은 우리가 불필요한 것은 내던지고 원하는 것만 간직하도록 도와주고 싶어한다. 그러나 그렇게 하면 남는 게 별로 없을지도 모른다. 원하지 않는 것을 다 내던져버리면 우리 자신을 대부분 내던져버리는 결과가 될 수도 있다.

우리 자신의 일부를 처분할 것처럼 행동하는 대신 변모의 기술을 익혀야 한다. 예를 들어 화를 이해와 같은, 좀 더 건전한 것으로 변모 시킬 수 있다. 화를 제거하려고 수술할 필요는 없는 것이다. 스스로 화에 대해 화를 내면 동시에 두 가지 화를 갖게 되는 것이다. 사랑과 주의력으로 화를 관찰하면 된다. 이런 식으로 달아나려 하지 않고 화를 보살피면 화 스스로 다른 모습으로 바뀔 것이다. 이것은 화해 다. 스스로 평화로우면 화와 더불어 화해할 수 있다. 우울증이나 근심, 두려움, 그 밖의 다른 기분 나쁜 감정들도 같은 방식으로 다룰 수 있다.

감정
변모시키기

감정을 다루는 데 있어 첫 번째 단계는 개개의 감정이 일어나는 대로 인식하는 것이다. 이렇게 해주는 매개체가 알아차림이다. 예를 들어 두려움의 경우 알아차림의 상태가 되어 두려움을 바라보고 그것을 두려움으로 인식한다. 그러면 두려움은 자신에게서 샘솟고 알아차림도 자신에게서 샘솟는다는 걸 안다. 둘 다 여러분 안에 있으며 싸우지 않고 서로를 보살핀다.

두 번째 단계는 감정과 하나가 되는 것이다. "두려움아, 저리 가라.

나는 네가 안 좋다. 너는 내가 아니다."라고 말하지 않는 것이 가장 좋다. "이봐, 두려움. 오늘 안녕한지?" 그러고 나서 두려움과 알아차림 이라는 스스로의 두 가지 면이 친구로서 악수하고 하나가 되도록 초대하는 것이다. 이것은 겁나는 일인 것처럼 보인다. 하지만 여러분 스스로가 두려움 이상이라는 걸 알기 때문에 걱정할 필요가 없다. 알아차림이 거기 있는 이상 두려움의 보호자가 될 수 있다. 근본적인 수행은 의식적 호흡으로 알아차림에 자양분을 주어 거기에 힘차게 살아있게 만드는 것이다. 처음에는 알아차림이 그다지 강력하지 않을 수 있지만 자양분을 주면 강해질 것이다. 알아차림이 존재하는 이상 두려움에 빠져 허우적거리지 않을 것이다. 사실 스스로에 대한 깨어 있음이 생겨나는 바로 그 순간 여러분은 두려움을 변모시키기 시작한다.

세 번째 단계는 감정을 차분히 가라앉히는 것이다. 알아차림이 두려움을 잘 보살피고 있을 때 여러분은 감정을 가라앉히기 시작한다. "숨을 들이쉬며 나는 몸과 마음을 차분히 가라앉힌다." 어머니가 울고 있는 아기를 부드럽게 안고 있듯이 그저 감정과 같이 있음으로써 감정을 차분하게 가라앉히는 것이다. 어머니의 부드러움을 느끼며 아기는 차분해지고 울음을 그친다. 어머니는 의식의 깊은 곳에서 탄생한 알아차림이다. 이것이 고통의 감정을 보살펴주게 된다. 아기를 안고 있는 어머니는 아기와 하나다. 어머니가 다른 것들을 생각하면 아기는 차분해지지 않을 것이다. 어머니는 다른 것들을 제쳐두고 그저 아기만 안고 있어야 한다. 그러니 감정을 피하지 말라. "너는 중요하지 않아. 너는 감정일 뿐이야."라고 말하지 말라. 감정과 하나가 되어야 한다. "숨을 내쉬면서 나는 두려움을 가라앉힌다."라고 말하면 된다.

네 번째 단계는 감정을 풀어주는 것이다. 놓아주는 것이다. 차분해졌기 때문에 여러분은 두려움의 한가운데서도 편한 느낌이 든다. 그리고 두려움이 여러분을 압도할 그 무엇으로 커지지 않으리라는 것을 안다. 여러분이 두려움을 보살필 능력이 있다는 걸 알면 두려움은 이미 최소한으로 줄어들어 약해진 상태이고 별로 기분 나쁘지 않게 될 것이다. 이제는 두려움에게 미소 지을 수 있고 놓아줄 수 있다. 하지만 여기서 멈추지 말라. 차분해지고 놓아주는 것은 대증 요법 (Symptoms 징후, 증상에 대한 처방)일 뿐이다. 이제 더 깊이 들어가 두려움의 원천을 변모시킬 기회다.

다섯 번째 단계는 깊이 보는 것이다. 두려운 감정이라는 아기를 깊이 들여다본다. 아기가 이미 울음을 그치고 두려움이 사라진 뒤에도 무엇이 잘못됐는지를 알기 위해서다. 아기를 온종일 안고 있을 수는 없다. 무엇이 잘못됐는지 그 원인을 알기 위해 아기를 들여다봐야 한다. 들여다봄으로써 어떻게 하면 그 감정을 변모시키는데 도움이 될지 알게 된다. 예를 들어 아기의 괴로움은 몸 안팎에 많은 원인이 있다는 걸 깨닫게 될 것이다. 아기에게 뭔가 잘못된 게 있을 때는 그것을 정리해 부드러움과 보살핌으로 대하면 아기의 상태는 좋아질 것이다. 아기를 들여다보면 울게 만든 요인들을 알게 된다. 이런 요인들을 이해하면 그 감정을 변모시키고 자유로워지기 위해 무엇을 하고 무엇을 하지 말아야 하는지 알게 된다.

이것은 심리치료와 유사한 과정이다. 치료사는 환자와 함께 고통의 성격을 살펴본다. 치료사는 환자가 사물을 바라보는 방식이나 자기 자신과 자신의 문화와 세상에 대해 갖고 있는 믿음에서 비롯된 괴로움의 원인들을 밝혀낼 수 있다. 치료사는 환자와 함께 이런 관점과 믿음을 자세히 살펴보고 지금까지 갇혀 지낸 감옥에서 풀려날 수 있도록 도와준다. 하지만 환자의 노력이 지극히 중요하다. 선생은 제자의 내면에 선생을 탄생시켜야 한다. 심리치료사도 환자의 내면에 치료사를 탄생시켜야 한다. 그러면 환자의 내적 심리치료사는 매우 효과적인 방법으로 종일 일할 수 있다.

치료사는 환자에게 그냥 또 다른 믿음을 주는 방식으로 치료하지 않는다. 치료사는 어떤 생각과 믿음이 괴로움으로 이어졌는지 알게끔 도와주려 한다. 환자들은 보통 고통스러운 감정을 없애고 싶지만 그런 감정의 뿌리인 자신들의 믿음이나 관점을 없애려 하지 않는다. 그래서 치료사와 환자는 합심해서 환자가 사물을 있는 그대로 보도록 도와준다. 감정을 변모시키기 위해 알아차림을 이용할 때도 마찬가지다. 감정을 인지한 뒤 그 감정과 하나가 돼 차분히 가라앉히고 놓아주는 것이다. 우리는 부정확한 인식에 토대를 두고 있는 그 원인들을 깊이 들여다볼 수 있다. 감정의 원인들과 본성을 이해하면 그 감정들은 곧바로 스스로를 변모시킨다.

화의
알아차림

화는 기분 나쁜 감정이다. 그것은 우리의 자제력을 소진시키고 나중에 후회할 일들을 말하고 행하게 만드는 격렬한 불길이다. 누가 화를 내면 우리는 그 사람이 지옥에서 살고 있다는 것을 분명히 안다. 화와 증오심은 지옥을 만드는 물질이다. 화가 없는 마음은 시원하고 상쾌하고 멀쩡하다. 화가 없는 것이 진정한 행복의 바탕이고 사랑과 측은지심의 바탕이다.

화를 알아차림의 등잔 밑에 놓으면 금세 그 파괴적인 본성을 잃기 시작한다. 우리는 스스로에게 이렇게 말하면 된다.

"숨을 들이쉬며 나는 내 안에 화가 있다는 걸 안다. 숨을 내쉬면서 나는 내가 화라는 것을 안다." 화의 정체를 파악하고 알아차림의 상태로 관찰하면서 호흡을 바짝 따라가면 화는 더 이상 우리 의식을 독점하지 못한다.

깨어 있음을 화의 동반자로 초대할 수 있다. 화에 대한 깨어 있음은 그것을 억누르거나 쫓아내지 않는다. 깨어 있음은 화를 돌볼 뿐이다. 이것은 대단히 중요한 원칙이다. 알아차림은 심판관이 아니다. 그것은 다정하고 자상하게 여동생을 챙겨주고 위로하는 언니와 같은 것이다. 알아차림을 유지하고 우리 자신을 충분히 알기 위해서는 호흡에 집중하는 것이 좋다.

화가 날 때 우리는 보통 우리 자신에게로 돌아가려 하지 않는 경향이 있다. 우리는 우리를 화나게 만드는 사람에 대해, 무례함이라든지 부정직, 포악함, 악의 등 그 사람의 가증스러운 측면에 대해 생각하려 한다. 그 사람에 대해 더 생각하고 더 듣고 더 쳐다볼수록 화의 불길은 더욱 거세진다. 그의 부정직과 가증스러움은 실제일 수도 있고 상상속의 것이거나 과장된 것일 수도 있다. 그러나 사실 문제의 뿌리는 화 그 자체다. 우리는 스스로에게 돌아와 무엇보다 먼저 우리 내부를 들여다보아야 한다. 화의 원인이라고 생각하는 사람의 얘기를 듣거나 바라보지 않는 게 가장 좋다. 소방관처럼 먼저 화의 불길에 물을 쏟아부어야지 집에 불을 낸 사람을 찾느라 시간을 허비해서는 안 된다. "숨을 들이쉬며 나는 내가 화가 나 있다는 걸 안다. 숨을 내쉬며 나는 모든 에너지를 화를 보살피는데 쏟아부어야 한다는 걸 안다." 그래서 우리는 상대방에 대한 생각을 피해야 하고 화가 사라지지 않는 한 그 어떤 것도 하거나 말하는 걸 자제해야 한다. 화를 관찰하는데 우리 마음을 쏟으면 나중에 후회할 어떤 손상도 일으키지 않게 될 것이다.

화나면 화가 바로 우리 자신이다. 화를 억누르거나 쫓아내는 것은 우리 자신을 억누르거나 쫓아내는 것이다. 기쁨을 느낄 때 우리는 기쁨이다. 화날 때 우리는 화다. 우리 내부에서 화가 생겨나면 우리는 화가 우리 내부의 에너지임을 알아챌 수 있다. 그것을 다른 종류의 에너지로 바꾸기 위해서는 그 에너지를 받아들이면 된다. 부패하고 냄새 나는 유기물로 가득 찬 거름통이 있으면 이 폐기물을 아름다운 꽃으로 변모시킬 수 있다는 걸 우리는 안다. 처음에는 거름과 꽃을 상반된 것으로 보겠지만 깊이 들여다보면 꽃이 이미 거름 안에 존재하고 거름이 이미 꽃 안에 존재하고 있다는 걸 알게 된다. 꽃이 부패하는 데는 몇 주밖에 안 걸린다. 훌륭한 유기농 정원사는 거름을 들여다보고 그걸 알아차린다. 슬픔이나 혐오감을 느끼지 않는다. 대신썩고 있는 물질의 가치를 알고 차별하지 않는다. 거름이 꽃을 탄생시키는 데는 몇 달밖에 안 걸린다. 화에 대해서 우리는 유기농 정원사의 통찰과 '불이'에 대한 안목을 가져야 한다. 우리는 그것을 두려워하거나 내칠 필요가 없다. 우리는 화가 일종의 거름이 될 수 있다는걸 안다. 아름다운 그 무엇을 탄생시키는 힘도 화에서 나오는 것임을안다. 유기농 정원사가 거름을 필요로 하듯이 우리도 화를 필요로한다. 화를 받아들이는 방법을 알면 이미 우리는 평화와 기쁨을 어느 정도 갖게 된다. 점차 화를 평화와 사랑과 이해로 완전히 변모시킬 수 있다.

베개 두들겨 패기

화를 겉으로 드러내는 것이 꼭 그것을 다루는 최선의 방법은 아니다. 화를 드러낼 때 우리는 그것을 연습하거나 미리 준비해, 의식의 깊은 곳에서 화를 더 강하게 만들 수도 있다. 화가 나는 상대방에게 화를 드러내면 피해를 초래할 수 있다.

방으로 들어가 문을 걸어 잠그고 베개를 두들겨 패는 사람들도 있다. 우리는 이것을 "화와 접촉하는 것"이라고 부른다. 그러나 나는 이것이 화와 접촉하는 것이라고 생각하지 않는다. 사실 나는 그것이 베개와 접촉하는 것조차도 아니라고 생각한다. 베개와 정말로 접촉하면 베개가 무엇인지 알고 그것을 때리려고 하지 않을 것이다. 그래도 이런 방법이 일시적으로는 통할 것이다. 베개를 두들겨 패면서 많은 에너지를 소비해 좀 지나면 지치게 되고 기분이 한결 나아지기 때문이다. 그러나 화의 뿌리는 멀쩡하게 있다. 나가서 영양가 있는 음식을 먹으면 에너지가 다시 충전될 것이다. 화의 씨앗에 다시 물을 주면 화는 다시 생겨나게 되고 다시 베개를 두들겨 팰 수밖에 없을 것이다.

베개 두들겨 패기는 다소의 위안을 줄지 모르지만 별로 오래 가지는 못한다. 진정으로 변모하기 위해서는 화의 뿌리와 상대하지 않으면 안 된다. 그 원인을 깊이 들여다보는 것이다. 그렇게 하지 않으면 화의 씨앗은 다시 자라날 것이다. 새롭고 건강하고 건전한 씨앗을 심으며 알아차림의 생활을 행하면 그 씨앗들이 화를 보살피게 될 것이고 그렇게 해달라고 우리가 부탁하지 않아도 화를 변모시킬 것이다.

알아차림은 햇살이 초목을 돌보듯이 모든 걸 돌볼 것이다. 햇살은 대단한 일을 하는 것 같지 않고 그저 초목 위에서 빛날 뿐이지만 모든 것을 변모시킨다.

　양귀비는 어두워지면 닫힌다. 그러나 햇빛이 한두 시간 나면 열린다. 해는 꽃 안으로 파고 들어간다. 어느 단계가 되면 꽃은 더 이상 견디지 못하고 활짝 스스로를 열 수밖에 없다. 마찬가지로 알아차림도 지속적으로 행하면 화라고 하는 꽃을 변모시킬 것이다. 화는 스스로를 열고 우리에게 그 본성을 드러낼 것이다. 화의 본성, 화의 뿌리를 이해할 때 우리는 화로부터 자유로워질 것이다.

화날 때의
걷기 명상

화가 일어날 때는 걷기 명상을 위해 바깥으로 나가고 싶어질지도 모른다. 신선한 공기와 초록의 나무들과 풀은 우리에게 큰 도움이 될 것이다. 이렇게 수행하면 괜찮다.

숨을 들이쉬며 나는 화가 여기 있다는 걸 안다.
숨을 내쉬며 나는 화가 나 자신임을 안다.
숨을 들이쉬며 나는 화가 기분 나쁘다는 걸 안다.
숨을 내쉬며 나는 이 감정이 지나갈 것이라는 걸 안다.

숨을 들이쉬며 나는 차분해진다.

숨을 내쉬며 나는 화를 보살필 만큼 강해져 있다.

화로 인해 생긴 기분 나쁜 감정을 누그러뜨리기 위해 우리는 호흡과 걸음을 맞추고 발바닥과 땅의 접촉에 충분한 주의를 기울이며, 온 마음과 정신을 걷기 명상에 바친다. 걸으면서 위의 시 구절을 암송하고 화를 직접 바라볼 수 있을 만큼 차분해질 때까지 기다린다. 그 때까지는 호흡과 걷기와 주변 환경의 아름다움을 즐기면 된다. 잠시 후 화가 가라앉고 우리는 더 강해져 있을 것이다. 그런 다음 화를 정면으로 관찰하기 시작하고 그것을 이해하려고 노력하면 된다.

감자 익히기

한동안 알아차림의 상태로 관찰하고 나면 밝게 비추는 깨어있음의 빛 덕분에 화의 으뜸가는 원인들이 보이기 시작한다. 명상은 그 본성을 볼 수 있도록 사물을 깊이 들여다보게 도와준다. 화를 깊이 들여다보면 오해라든지 덤벙거림, 부당함, 원망, 길들이기 같은 뿌리를 볼 수 있다. 이런 뿌리들은 우리 자신이나 화를 촉발시키는데 주요한 역할을 한 사람에게 있을 수 있다. 우리가 알아차림의 상태로 관찰하는 것은 보고 이해할 수 있도록 하기 위함이다. 보는 것과 이해하는 것은 사랑과 측은지심을 불러일으키는 해방의 요소들이다. 화의 뿌리를 보고 이해하기 위해 알아차림의 상태로 관찰하는 방법은 효과가 오래 지속되는 방법이다.

우리는 날 감자를 먹지 못한다. 하지만 날 것이라고 해서 감자를 내다버리지는 않는다. 우리는 날 감자를 익힐 수 있다는 걸 안다. 그래서 냄비에 감자를 넣고 뚜껑을 덮고 불 위에 냄비를 올려놓는다. 불은 알아차림이다. 의식적으로 호흡하고 화에 초점을 맞추는 수행이다. 뚜껑은 집중을 상징한다. 열기가 냄비 밖으로 빠져나가지 못하게 하기 때문이다. 화를 들여다보면서 숨을 들이쉬고 내쉬는 수행을 할 때 힘 있는 수행을 위해서는 얼마간의 집중력을 필요로 한다. 따라서 모든 잡념에서 벗어나 그 문제에 초점을 맞춘다. 나무와 꽃이 있는 자연으로 나가면 수행은 더 쉬워진다.

냄비를 불 위에 올려놓으면 곧바로 변화가 일어난다. 물이 따뜻해지기 시작한다. 10분 있으면 물이 끓는다. 그래도 감자를 익히기 위해서는 좀 더 불을 켜놓아야 한다. 호흡과 화를 자각하는 수행을 하면 변모는 이미 일어나고 있다. 30분 뒤 뚜껑을 열면 처음과는 다른 냄새가 난다. 이제 우리는 감자를 먹을 수 있다는 걸 안다. 화는 다른 종류의 에너지로 변모됐다. 바로 이해와 측은지심이다.

화의 뿌리

화는 우리 자신과, 기분 나쁜 상태를 일으킨 즉각
적이거나 깊이 뿌리박힌 원인들에 대한 이해의 부족에서 연유한다.
화는 또한 욕망과 자존심과 불안과 의심에서 비롯된다. 화의 으뜸가
는 뿌리는 우리 자신 안에 있다. 우리 주변 환경과 다른 사람들은 2
차적인 것이다. 지진이나 홍수 같은 자연 재해로 야기되는 막대한 피
해를 받아들이는 건 어렵지 않다. 그러나 다른 사람에 의해 피해가
생길 때 우리는 그런 인내심이 없다. 우리는 지진이나 홍수가 원인이
있다는 걸 안다. 우리는 화를 촉발시킨 그 사람도 자기가 한 일에 대

해 뿌리가 깊고 즉각적인 이유가 있다는 것을 알아야 한다. 예를 들어 우리에게 말을 심하게 하는 사람은 바로 전날 또는 어렸을 때 알콜 중독자인 아버지에 의해 똑같은 말을 들었을지도 모른다. 이런 원인들을 보고 이해할 때 화에서 벗어날 수 있게 된다. 우리를 악독하게 공격하는 사람을 제재해서는 안 된다는 말은 아니다. 그러나 가장 중요한 것은 우리 안에 있는 부정적 태도의 씨앗들을 먼저 챙겨야 한다. 그러면 누군가를 도와주거나 제재할 필요가 있을 때 화나 보복이 아니라 측은지심에서 그렇게 할 것이다. 우리가 진정으로 다른 사람의 괴로움을 이해하고자 애쓴다면 그 사람이 괴로움과 혼란스러움을 극복하도록 도와주는 방식으로 행동하게 될 것이고 그것은 우리 모두에게 도움이 된다.

내부의
응어리

불교 심리학에는 '내부의 응어리', '족쇄', '매듭'으로 옮길 수 있는 용어가 있다. 감각 기관에 입력되는 것이 있을 때 우리가 그것을 어떻게 받아들이느냐에 따라 우리 내부에 매듭이 만들어진다. 누군가 우리에게 모질게 얘기할 때 그 이유를 이해하고 그 말을 가슴속에 새겨두지 않으면 전혀 짜증이 나지 않을 것이고 매듭이 생기지 않을 것이다. 그러나 왜 그런 말이 나왔는지 이해하지 못하고 짜증을 내면 우리 내부에 매듭이 생긴다. 분명한 이해의 부족이 온갖 매듭의 토대가 된다.

우리가 한껏 깨어 있기 훈련을 하면 내부의 응어리가 생기자마자 인지하게 되고 그것을 변모시키는 방법을 찾을 것이다. 예를 들어 자기 남편이 파티에서 자기 자랑을 하는 걸 듣고 부인은 자신의 내부에 존경심의 결여라는 응어리가 생기고 있다고 느낀다. 남편과 얘기를 나누면 분명한 이해에 도달해 매듭이 쉽게 풀릴 것이다. 내부의 응어리는 나타나는 순간 아직 약할 때 전적인 관심을 기울여야 한다. 그래야 변모시키는 작업이 수월해진다.

매듭이 생길 때 풀지 않으면 점점 더 단단해지고 강하게 변할 것이다. 우리의 의식적이고 합리적인 마음은 화, 두려움, 후회 같은 부정적 감정들을 우리 자신이나 사회가 전적으로 수용하기는 힘들다는 것을 안다. 그래서 우리 마음은 그런 감정을 억누르고, 잊을 수 있도록 의식의 변두리로 몰아내는 방법을 찾는다. 우리는 괴로움을 피하고 싶어하기 때문에 우리는 이런 부정적인 감정의 존재를 부정하고 우리 내부는 평화롭다는 인상을 주는 방어 기제를 만든다. 그러나 우리 내부의 응어리는 파괴적인 이미지와 감정과 생각과 말과 행동으로 스스로를 드러낼 방법을 늘 찾아다닌다.

무의식적인 내부의 응어리를 다루는 방법은 첫째로 그 응어리를 자각하는 방법을 찾는 것이다. 알아차림 호흡 수행을 함으로써 우리 내부에 생긴 매듭에 접근할 수 있을 것이다. 우리의 이미지와 감정과 생각과 말과 행동을 자각할 때 우리는 스스로에게 이런 질문을 던질 수 있다. 그 사람이 그런 말 하는 걸 듣고 왜 나는 불편함을 느꼈는가? 저 여자를 볼 때 왜 항상 어머니 생각이 나는가? 영화 속 그 인물이 왜 마음에 안 들었는가? 그 여자를 닮은 누구를 과거에 미워했는가? 이런 식으로 꼼꼼하게 관찰하면 우리 안에 파묻혀 있던 내부의 응어리를 의식의 영역으로 서서히 끌어낼 수 있다.

좌선 중에 감각 기관 입력물의 문과 창문을 다 닫으면 안에 파묻혀 있는 내부의 응어리가 이미지와 감정과 생각의 형태로 스스로를 드러낼 때가 있다. 우리는 원인을 알 수 없는 불안과 두려움과 불쾌함이란 감정을 알아차릴 수 있다.

그래서 우리는 알아차림의 빛을 쏘이고 이 이미지와 감정과 생각의 복잡한 얽힘을 볼 준비를 한다. 그러한 감정이 얼굴을 드러낼 때 그 힘은 더 강해지고 더 강렬해진다. 너무 힘이 강해져서 우리의 평화와 기쁨과 편안함을 빼앗아간다. 더 이상 마주하고 싶지 않을지도 모른다. 다른 명상거리에 관심을 두거나 아예 명상을 끊고 싶어질 수도 있다. 잠이 올 수도 있고 다른 때 명상을 하겠노라고 말할 수도 있다. 심리학에서는 이걸 저항이라고 부른다. 우리 안에 파묻혀 있는 괴로운 감정들을 의식 속으로 끌어내는 게 두려운 것이다. 우리를 괴롭게 만들기 때문이다. 그러나 호흡과 미소 짓기 수행을 얼마 동안 했으면 가만히 앉아 우리의 두려움을 관찰할 수 있는 역량이 생기게 될 것이다. 호흡 수행을 부단히 하고 미소 짓기를 지속하면 이런 말이 나올 것이다. "두려움아, 안녕! 또 왔구나."

좌선을 하루에 몇 시간씩 하면서도 자기의 감정과 진정으로 마주하지 않는 사람들이 있다. 그런 사람들은 감정은 중요하지 않으니 형이상학적인 주제에 관심을 기울이겠다고 말한다. 이런 명상 화두가 중요하지 않다는 말은 아니다. 그러나 우리의 절실한 문제와 연관되어 있지 않으면 명상은 큰 가치가 없게 되고 별 도움이 안 된다.

우리가 깨어 있는 방식으로 매 순간을 사는 방법을 안다면 지금이 순간 우리의 감정과 지각 상태를 알게 될 것이고 우리의 의식 속에 매듭이 생기거나 더욱 단단해지는 일을 막아줄 것이다. 그리고 우리의 감정을 관찰하는 방법을 안다면 오래 지속된 내부 응어리의 뿌리를 찾아 변모시킬 수 있다. 아주 단단해진 응어리까지도 바꿀 수 있다.

더불어
살기

우리가 다른 사람과 같이 살 때는 서로의 행복을 보호하기 위해 우리가 같이 만들어내는 내부의 응어리를 변모시킬 수 있도록 서로 도와줘야 한다. 우리는 이해심과 애정이 담긴 말로 서로를 크게 도와줄 수 있다. 행복은 개인적인 문제가 아니다. 상대방이 행복하지 않으면 우리도 행복하지 않을 것이다. 상대방의 매듭을 변모시키면 우리 자신이 행복해지는데 도움이 될 것이다. 부인이 남편에게 응어리를 생기게 할 수 있고 남편도 부인에게 그럴 수 있다. 부부가 상대방에게 계속 매듭이 생기게 만들면 언젠가는 아무런 행복도 남아 있지 않게 될 것이다. 그러므로 매듭이 생기면 예를 들어 부인은 자기 안에 매듭이 이제 막 생겼다는 걸 알아야 한다. 그것을 그냥 내버려둬서는 안 된다. 시간을 갖고 관찰하고 남편의 도움을 받아 변모시켜야 한다. 부인은 이럴 수도 있다. "여보, 갈등이 커지고 있는 것 같은데 얘기 좀 해요." 부인과 남편의 마음 상태가 아직 가볍고 많은 매듭이 지어져 있지 않을 때 이렇게 하기가 쉽다.

어떤 내부의 응어리도 근본적인 원인은 이해의 부족에 있다. 매듭이 지어질 때 있었던 오해를 볼 수 있다면 매듭을 쉽게 풀 수 있다. 알아차림 상태에서의 관찰이란 어떤 일의 성격과 원인을 볼 수 있도록 깊이 들여다보는 것이다.

이런 통찰의 중요한 이득은 매듭이 풀린다는 것이다.

진여

불교에서 "진여眞如"라는 말은 사물이나 사람의 본
질이나 특성, 즉 본성이라는 뜻이다. 누구나 다 '진여'가 있다. 어떤
사람과 평화롭고 행복하게 살고 싶다면 그 사람의 진여를 보지 않으
면 안 된다. 그것을 보면 상대방을 이해하게 되고 아무런 탈이 없을
것이다. 더불어 평화롭고 행복하게 살 수 있다.

난방과 취사용으로 천연가스를 집에 들여놓으면 우리는 가스의 진
여를 안다. 우리는 가스가 위험하다는 걸 안다. 주의를 기울이지 않

으면 우리를 죽일 수도 있다. 그러나 우리는 밥을 짓기 위해 가스가 필요하다는 것도 안다. 그래서 망설이지 않고 가스를 집에 들여놓는 것이다. 전기도 마찬가지다. 자칫 감전사할 수도 있다. 그러나 주의를 기울이면 우리에게 도움이 되고 아무런 문제도 생기지 않는다. 전기의 진여에 대해 알기 때문이다. 사람도 마찬가지다. 우리가 어떤 사람의 진여에 대해 잘 모르면 문제가 생길 수도 있다. 그러나 알면 서로 즐겁게 지낼 수 있고 서로 큰 이득을 볼 수 있다. 핵심은 그 사람의 진여를 아는 것이다. 우리는 어떤 사람이 늘 꽃이어야 한다고 기대하지 않는다. 그 사람의 쓰레기도 이해하지 않으면 안 된다.

손 들여다보기

내 친구 중 한 명은 예술가다. 그 친구가 40년 전 베트남을 떠나기 전에 어머니가 손을 잡고 얘기했다. "내가 보고 싶으면 네 손을 들여다보거라. 금세 내가 보일 것이다." 이 얼마나 마음속을 꿰뚫는 단순하고 진정한 말인가!

여러 해에 걸쳐 내 친구는 수없이 자기 손을 들여다보았다. 어머니의 존재는 그저 유전적인 것만은 아니다. 어머니의 정신과 희망과 삶도 그의 안에 있다. 자기 손을 들여다볼 때 그는 앞서간 수천 세대와

뒤따를 수천 세대를 볼 수 있다. 그는 시간의 축을 따라 진화론적으로 이어져온 계보 속에서만 존재하는 것이 아니라 상호의존적 관계 속에서도 존재한다는 것을 알 수 있다. 그 친구는 자기는 절대 외롭지 않다고 말했다.

조카딸이 지난 여름 나를 찾아왔을 때 나는 명상의 화두로 "네 손을 들여다봐라"를 던져주었다. 나는 조카딸에게 온갖 자갈과 나뭇잎과 나비가 손 안에 있다고 말해줬다.

부모님

어머니를 생각할 때 나는 어머니의 모습과 내가 생각하는 사랑의 의미를 따로 떼어놓을 수 없다. 사랑은 어머니의 정감 있고 부드러운 목소리에 자연스럽게 녹아 있었기 때문이다. 어머니를 여읜 날 나는 일기에 썼다.

'내 인생의 가장 큰 비극이 지금 벌어졌다.' 어머니와 떨어져 사는 어른이 됐지만 나는 어머니를 여의고 어린 고아로 버려진 듯한 느낌이었다.

서양에서 만난 많은 친구들은 어머니에 대한 느낌이 나와 같지 않다는 걸 안다. 나는 부모들이 자식들에게 괴로움의 씨앗을 뿌려 크나큰 상처를 주었다는 얘기를 들어왔다. 그러나 나는 부모들이 그런 씨앗을 뿌릴 뜻이 없었다고 믿는다. 자식들이 괴로움을 겪게 만들 생각은 없었던 것이다. 아마 그 부모들도 자기 부모에게서 똑같은 씨앗을 받았는지도 모른다. 씨앗의 전파에는 연속성이 있다. 그들의 아버지와 어머니는 할아버지와 할머니로부터 씨앗을 받았을 것이다. 우리 대부분은 알아차림이 없는 생활의 희생자이다. 알아차림의 상태로 살아가는 훈련, 명상 수행은 이런 종류의 괴로움을 멈추게 하고 그런 슬픔이 우리 자식들과 손자들에게 계승되는 것을 끝낼 수 있게 해준다. 이런 종류의 괴로움의 씨앗들이 자식들과 친구들과 다른 어떤 사람에게 전파되지 않게 함으로써 악순환을 끊을 수 있다.

'플럼 빌리지'에서 수행하는 14살 난 소년이 나한테 이런 얘기를 해줬다. 11살 때 아버지에게 대단히 화가 났었단다. 넘어져 다칠 때마다 아버지는 호통을 쳤다. 소년은 자기가 어른이 되면 그렇게 안 하겠노라고 다짐했다. 그런데 작년에 어린 여동생이 다른 아이들하고 놀다가 그네에서 떨어져 무릎이 까졌다. 피가 났고 소년은 매우 화가 났다. "이런 바보 같으니라고! 왜 그랬어?" 하지만 소년은 입을 다물었다. 호흡과 알아차림 수행을 해왔기 때문에 자기의 화를 인지하고 화난 행동을 하지 않은 것이다.

어른들은 다친 여동생의 상처를 씻어주고 반창고를 붙여주며 정성스럽게 보살펴주었다. 소년은 천천히 걸음을 옮겨 자기 화를 다스리기 위한 호흡을 했다.

갑자기 소년은 자기가 아버지와 똑같다는 걸 깨달았다. 소년은 내게 이렇게 말했다. "제 안에서 일어난 화를 그대로 놔두면 자식들에게 고스란히 물려주게 될 것이라는 생각이 들었어요." 동시에 그는 다른 것도 깨달았다. 아버지도 자기와 마찬가지로 피해자일지도 모른다는 사실이었다. 아버지의 화의 씨앗은 할아버지에게서 물려받은 것일 수도 있다. 14살의 소년으로서는 놀라운 통찰이었다. 그러나 알아차림 수행을 해왔기 때문에 그런 것을 볼 수 있었던 것이다. "화를 다른 것으로 바꿀 수 있도록 수행을 계속하자고 혼잣말을 했어요." 몇 달 뒤 그 소년의 화는 사라졌다. 그 뒤로 소년은 수행의 열매를 아버지에게 건네줄 수 있었다. 소년은 전에는 아버지에게 화를 냈지만 지금은 이해한다고 말했다. 소년은 아버지도 화의 씨앗을 다른 것으로 변모시킬 수 있도록 수행을 했으면 좋겠다고 했다. 우리는 보통 부모들이 자기 자식들을 보듬어줘야 한다고 생각하지만 때로는 자식

들이 부모에게 깨우침을 주고 부모가 달라질 수 있도록 도와주기도
한다.

부모를 측은지심으로 바라볼 때 우리는 부모가 알아차림 수행을
할 기회가 전혀 없었던 피해자에 불과하다는 걸 알게 된다. 부모는
스스로의 괴로움을 변모시킬 수 없었던 것이다. 측은지심의 눈으로
보면 부모에게 기쁨과 평화, 용서를 줄 수 있다. 사실 깊이 들여다보
면 부모와의 일체성을 다 떨쳐버리기란 불가능하다는 걸 알게 된다.

목욕을 하거나 샤워를 할 때 자세히 들여다보면 우리 몸은 우리
부모와 부모의 부모로부터 물려받은 선물이라는 걸 알게 될 것이다.
우리 몸 여기저기를 씻으며 몸의 본성과 살아 있음의 본성에 대해 명
상해볼 수 있다. 이렇게 스스로에게 묻는 것이다. "이 몸은 누구의 것
인가? 누가 이 몸을 내게 주었는가? 무엇이 주어졌나?" 이런 식으로
명상을 하면 세 개의 구성 요소가 있다는 걸 발견할 것이다. 주는 사
람, 선물, 선물을 받는 사람이다. 주는 사람은 우리 부모이다.

우리는 부모와 조상의 연속체이다. 선물은 우리 몸 그 자체다. 선물
을 받는 사람은 우리다. 이것에 대해 명상을 계속하면 선물을 주는
사람과 선물과 선물을 받는 사람이 하나라는 걸 분명히 안다. 이 세

개가 모두 우리 몸 안에 있다. 지금 이 순간과 깊이 접촉하면 대대로의 조상과 미래 세대가 우리 안에 있다는 걸 알 수 있다. 이것을 이해하면 우리 자신과 조상과 자식들과 그 후손을 위해 해야 할 것과 하지 말아야 할 것을 알게 될 것이다.

건강한 씨앗 키우기

의식은 두 개의 차원으로 존재한다. 씨앗으로 그리고 씨앗의 표출로 존재한다. 우리에게 화의 씨앗이 있다고 치자. 여건이 맞으면 그 씨앗은 화라고 불리는 에너지의 영역으로 표출될 수 있다. 그것은 활활 타고 우리를 많이 괴롭게 만든다. 화의 씨앗이 표출되는 순간에 기쁨을 느끼기란 매우 어렵다.

씨앗은 스스로를 표출할 기회를 얻을 때마다 같은 종류의 새로운 씨앗을 생산한다. 5분 동안 화가 나 있으면 그 5분 동안 새로운 화의 씨앗이 우리의 무의식의 토양에 생겨나고 축적된다. 그렇기 때문에 우리는 어떤 삶을 살 지와 어떤 감정을 표출할 지를 주의 깊게 선택하지 않으면 안 된다. 내가 미소 지을 때는 미소와 기쁨의 씨앗이 움튼다. 그 씨앗이 표출되는 동안에는 미소와 기쁨의 새로운 씨앗이 뿌려진다. 하지만 몇 년 동안 미소 짓는 수행을 하지 않으면 그 씨앗은 약해질 것이고 나는 더 이상 미소 짓지 못할지도 모른다.

우리에겐 좋든 나쁘든 많은 종류의 씨앗이 있다. 우리 생애에 심어놓은 씨앗들도 있고 부모나 조상, 그리고 우리 사회로부터 전해진 씨앗들도 있다. 작은 옥수수 알갱이 안에는 어떻게 싹을 틔우고 잎사귀와 꽃과 열매를 만들지, 선대로부터 전해져 내려온 지식이 들어 있다. 우리 몸과 마음에도 선대로부터 전해져 내려온 지식이 있다. 조상과 부모는 우리에게 슬픔과 분노 따위의 씨앗과 더불어 기쁨과 평화와 행복의 씨앗도 물려주었다.

알아차림의 생활을 실천하면 건강한 씨앗을 심게 되고 이미 우리에게 있는 건강한 씨앗을 튼튼하게 만든다. 건강한 씨앗은 항체와 비슷한 작용을 한다. 바이러스가 혈류를 타고 들어올 때 우리 몸은 반응한다. 항체가 나타나 바이러스를 에워싸고 돌보고 변모시킨다. 우리의 심리적 씨앗도 역시 마찬가지다. 건강하고 치유해주고 원기를 되찾아주는 씨앗을 심으면 우리가 굳이 부탁하지 않더라도 부정적인 씨앗을 돌볼 것이다. 좋은 결과를 얻기 위해서는 원기를 되찾아주는 씨앗을 비축해둘 필요가 있다.

어느 날 내가 사는 마을에서 우리는 아주 친한 친구를 잃었다. 플럼 빌리지를 만들 때 우리에게 큰 도움을 준 프랑스 사람이다. 심장마비가 와 밤새 세상을 떠났다. 아침이 되어서야 그가 타계했다는 걸 알았다. 너무나도 인자한 사람이었다. 같이 몇 분만 있으면 언제나 큰 기쁨을 느끼게 해주었다. 그는 기쁨과 평화 자체였다. 그의 죽음에 대해 알게 된 그날 아침 우리는 그 사람과 더 많은 시간을 보내지 못한 것이 크나큰 아쉬움으로 남았다.

그날 밤 나는 잠을 잘 수 없었다. 그 사람 같은 친구를 잃는다는 건 정말 고통스러운 일이다. 그런데 나는 그 다음 날 아침 강연이 잡혀 있었다. 잠을 자야 했기에 나는 호흡을 했다. 추운 겨울밤이었다. 나는 침대에 누워 암자 뜰에 있는 아름다운 나무들을 머릿속에 그렸다. 몇 년 전 나는 세 그루의 아름다운 삼나무를 심었다. 히말라야 품종이었다. 이제는 아름드리 나무가 됐다.

걷기 명상을 할 때는 걸음을 멈추고 이 아름다운 나무를 껴안은 채 숨을 들이쉬고 내쉬곤 했다. 삼나무는 내가 껴안을 때마다 반응을 보였다. 확실히 느꼈다. 그래서 난 침대에 누워 숨을 들이쉬고 내쉬며 삼나무가 되고 호흡이 되었다. 한결 기분이 좋아졌다. 그러나 아직 잠을 잘 수 없었다. 마지막으로 이름이 '꼬마 대나무'인 명랑한 베트남 어린아이의 모습을 내 의식 속으로 불러들였다. 이 여자 아이는 2살 때 플럼 빌리지에 왔다. 하도 귀여워서 다들 안고 싶어했다. 어린이들이 특히 그랬다. '꼬마 대나무'가 땅에 발을 디디게 내버려두질 않았다! 이제 이 아이는 여섯 살이 됐다. 품에 안고 있으면 기분이 매우 상쾌해지고 신이 난다. 그래서 이 아이를 내 의식 속으로 불러들인 것이다. 나는 이 아이의 모습을 떠올리며 호흡과 미소 수행을 했다. 금세 나는 깊은 잠에 빠졌다.

우리는 누구나 어려운 순간에 도움을 줄 수 있는 아름답고 건강하고 튼튼한 씨앗을 비축해둘 필요가 있다. 어떤 때는 고통의 덩어리가 너무 커 꽃이 바로 앞에 있어도 만질 수가 없다. 그럴 때는 도움이 필요하다는 걸 우리는 안다. 건강한 씨앗들로 채워진 튼튼한 창고가 있으면 이 중 몇몇의 씨앗을 불러내 우리를 도와주게 할 수 있다. 여러분을 이해하는 아주 가까운 친구가 있다면 아무 말 안하고 그 친구 곁에 앉아 있기만 해도 기분이 한결 좋아진다는 걸 알 것이다. 그런 친구의 모습을 의식 속으로 불러내 두 사람이 같이 호흡을 하면 된다. 이렇게 하는 것만으로도 어려울 때 큰 도움이 될 수 있다.

그러나 오랫동안 친구를 보지 못했다면 그 모습이 의식 속에서 어렴풋해져 쉽게 떠오르지 않을 것이다. 그 친구가 여러분의 균형을 다시 잡아줄 유일한 사람인데 친구의 모습이 이미 어렴풋해졌다는 걸 안다면 할 일은 하나밖에 없다.

친구에게 가는 것이다. 씨앗으로서가 아니라 진짜 사람으로 여러분 곁에 있을 수 있게 말이다.

친구와 만나서 어떻게 보낼지 잘 알아야 한다. 같이 있는 시간은 제한되어 있기 때문이다. 도착하면 친구 곁에 앉으시라. 당장 강해졌다는 느낌이 올 것이다. 하지만 여러분은 곧 집으로 돌아가야 한다는 걸 안다. 그래서 거기 있는 동안 귀중한 순간순간마다 철저한 알아차림 수행을 할 기회를 갖지 않으면 안 된다. 친구는 여러분이 균형을 다시 잡도록 도와줄 수 있다. 그러나 그것만으로는 충분치 않다. 다시 혼자가 됐을 때 기분이 괜찮을 수 있도록 스스로 안에서 강해져야 한다. 그렇기 때문에 친구와 같이 앉아 있거나 걸을 때 알아차림 수행을 할 필요가 있는 것이다. 그렇게 하지 않고 그저 스스로의 괴로움을 덜기 위해 친구의 존재를 이용한다면, 친구의 모습이라는 씨앗은 집으로 돌아왔을 때 여러분을 지탱시켜 줄 만큼 튼튼해져 있지 못할 것이다. 우리 스스로 마음에 치유해주고 원기를 되찾아주는 씨앗을 심을 수 있도록 알아차림 수행을 할 필요가 있다. 그러면 우리가 그 씨앗들을 필요로 할 때 우리를 돌봐줄 것이다.

잘못되지 않은 게
뭐야?

우리는 보통 "뭐가 잘못됐어?"라고 묻는다. 그렇게 묻는 것은 슬픔의 고통스러운 씨앗이 다가와 스스로를 드러내게끔 만드는 것이다. 우리는 괴로움과 화, 우울함을 느끼고 그런 씨앗들을 더 만들어낸다. 우리 내부와 주변에 있는 건강하고 기쁜 씨앗들과 함께 하려고 애쓰면 훨씬 더 행복해질 것이다. 우리는 "잘못되지 않은 게 뭐야?"라고 묻고 그것과 함께 하도록 해야 한다. 이 세상과 우리 몸과 감정과 지각과 의식 속에는 건전하고 원기를 되찾아주고 치유해주는 요소들이 있다. 스스로를 가로막고 슬픔의 감옥 속에서 지내면 치유해주는 요소들과 접촉하지 못하게 될 것이다.

삶은 푸른 하늘, 햇빛, 아기의 눈 같은 많은 경이로움으로 채워져 있다. 예를 들어 호흡은 매우 즐거울 수 있다. 나는 매일 호흡을 즐긴다. 그러나 많은 사람들은 천식이 있거나 코가 막혔을 때만 호흡의 기쁨을 느낀다. 천식이 생길 때까지 기다렸다가 호흡의 즐거움을 누릴 필요는 없다. 행복의 귀중한 요소들을 안다는 것은 그 자체로 올바른 알아차림 수행이다. 이런 요소들은 우리 내부와 주변 어디에나 있다. 살아 있는 매 순간 우리는 그 요소들을 즐길 수 있다.

그렇게 하면 평화와 기쁨과 행복의 씨앗들이 우리 내부에 심어지고 무럭무럭 자랄 것이다. 행복의 비결은 행복 그 자체이다. 언제 어디에 있든지 우리는 햇빛과 서로의 존재와 호흡의 경이를 즐길 능력을 갖고 있다. 그걸 즐기려고 어디 다른 데로 가볼 필요는 없다. 바로 지금, 이런 것들과 만날 수 있기 때문이다.

탓하기는 결코
도움이 안 된다

상추를 심었는데 잘 자라지 않는다고 상추 탓을 하지는 않는다. 여러분은 잘 자라지 않는 이유를 살펴볼 것이다. 비료나 물이 더 필요할 수도 있고 햇빛이 더 적어야 될 수도 있다. 상추를 탓하는 일은 결코 없다. 하지만 친구나 가족과 문제가 생기면 우리는 상대방 탓을 한다. 하지만 그들을 잘 돌보는 방법을 알면 상추처럼 잘 자랄 것이다. 탓하는 것은 긍정적인 효과가 전혀 없다. 남 탓이나 논리나 주장을 통해 설득하려고 하는 것도 마찬가지다. 내 경험상으로는 그렇다. 남 탓도 하지 말고 논리나 주장도 펴지 말고 그저 이해하는 것이다. 이해를 하고 이해한다는 걸 보여주면 사랑할 수 있고 상황은 달라질 것이다.

어느 날 파리에서 나는 상추 탓 안 하기에 대해 강연을 했다. 강연이 끝나고 나는 혼자 걷기 명상을 하고 있었다. 건물 모퉁이를 돌아가는데 8살 난 소녀가 엄마와 나누는 얘기소리가 들렸다. "엄마, 난 엄마의 상추니까 잊지 말고 물을 줘." 이 소녀가 내 얘기의 핵심을 온전히 이해하고 있어 흐뭇했다. 이윽고 엄마의 대답이 들렸다. "알았다, 내 딸아. 그런데 나도 너의 상추야. 그러니 엄마한테도 잊지 말고 물을 줘야 돼." 엄마와 딸이 같이 수행하는 모습은 매우 아름다웠다.

이해

이해와 사랑은 두 개가 아니라 그냥 하나다. 아들
이 아침에 잠에서 깨어나 일어날 시간이 한참 지났다는 걸 알았다고
치자. 그는 아침밥을 먹고 학교에 갈 수 있도록 여동생을 깨우기로
한다. 여동생은 투정을 부린다. "깨워줘서 고마워."라는 말 대신 "시
끄러워! 가만 좀 내버려둬!" 하면서 오빠를 발로 찬다. 그는 "잘 깨워
줬는데 왜 발길질이야?" 하고 아마 화를 낼 것이다. 아들은 부엌으로
가 당신에게 일러바치거나 동생을 발로 차버리고 싶을 것이다.

하지만 그 때 그는 여동생이 밤에 기침을 많이 한 걸 기억하고 아프다는 사실을 깨닫는다. 아마 감기에 걸려 심통을 부렸는지도 모른다. 그 순간 그는 이해한다. 이제는 전혀 화가 나지 않는다. 이해하면 사랑하지 않을 수 없다. 화를 낼 수가 없다. 이해를 키우기 위해서는 살아 있는 모든 것을 측은지심의 눈으로 바라보는 훈련을 해야 한다. 이해하면 사랑하지 않을 수 없다. 그리고 사랑하면 자연스럽게 사람들의 괴로움을 덜어줄 수 있는 방식으로 행동하게 된다.

참된 사랑

우리는 사랑하고 싶은 사람을 진실로 이해하지 않으면 안 된다. 우리 사랑이 단지 소유욕이라면 그건 사랑이 아니다. 우리 자신만을 생각하고 우리 필요만을 알고 상대방의 필요를 외면한다면 사랑할 수 없다. 사랑하는 사람의 필요와 열망과 괴로움을 알고 이해하기 위해서는 깊이 들여다보아야 한다. 이것이 참된 사랑의 토대다. 사람을 정말로 이해하면 그 사람을 사랑하지 않을 수 없게 된다.

때로는 사랑하는 사람 곁에 앉아 그 사람의 손을 잡고 물어보시라. "여보, 내가 당신을 제대로 이해하고 있어? 아니면 내가 당신을 괴롭게 만들고 있어? 당신을 진정으로 사랑할 수 있게 말 좀 해줘. 나는 당신을 괴롭게 만들고 싶지 않아. 내가 몰라서 그런다면 당신을 더욱더 사랑하고 당신이 행복해질 수 있게 나한테 얘기해줘." 상대방을 이해하겠다는 진정으로 열린 마음이 담긴 목소리로 말하면 상대방은 울지도 모른다. 그것은 좋은 징조다. 이해의 문이 열리고 모든 것이 다시 가능해질 것이라는 뜻이기 때문이다.

아버지는 아들에게 그런 질문을 할 시간이 없거나 그럴 만한 용기가 없을지 모른다. 그러면 둘 사이의 사랑은 최고의 사랑에 이르지 못할 것이다. 이런 질문을 하려면 용기가 필요하다. 그러나 이 질문을 하지 않은 채로 사랑하면 사랑할수록 우리가 사랑하려고 하는 사람을 더욱 더 망칠 것이다. 진정한 사랑은 이해를 필요로 한다. 이해를 하면 우리가 사랑하는 사람은 분명히 꽃을 피울 것이다.

측은지심에 대한
명상

사랑은 다른 사람에게 평화와 기쁨과 행복을 가져다주는 마음이다. 측은지심은 상대방이 겪고 있는 괴로움을 없애주는 마음이다. 우리는 누구나 마음속에 사랑과 측은지심의 씨앗을 갖고 있다. 그리고 이 멋지고 경이로운 에너지의 원천을 가꿀 수 있다. 보답을 바라지 않고 그래서 근심과 슬픔으로 이어지지 않는 무조건적인 사랑을 키울 수 있다.

사랑과 측은지심의 본질은 이해이다. 육체적이고 물질적이고 심리적인 남들의 괴로움을 인식하는 능력, 우리 스스로를 남의 '살 속으로' 집어넣는 능력이다. 우리는 그들의 몸과 느낌과 정신적 웅어리 '안으로 들어가' 그들의 괴로움을 목도한다. 국외자의 피상적인 관찰로는 그들의 괴로움을 알지 못한다. 우리는 관찰의 대상과 하나가 되지 않으면 안 된다. 다른 사람의 괴로움과 함께 할 때 측은지심이 우리 내부에 생겨난다. 측은지심Compassion은 문자 그대로 '괴로움을 같이 한다'는 뜻이다.

명상의 대상으로 육체적이고 물질적인 괴로움을 겪는 사람, 약하고 병에 잘 걸리고 가난하고 핍박받거나 아무런 보호를 받지 못하는 사람을 택해보자. 이런 괴로움은 이해하기 쉽다. 그 다음 겉으로 잘 드러나지 않는 형태의 괴로움과 함께 하는 훈련을 해볼 수 있다. 상대방이 전혀 괴로움을 겪고 있지 않은 것 같은 때가 있다. 그러나 그 사람이 눈에 띄지 않게 흔적이 남겨진 슬픔을 갖고 있다는 걸 알아차릴 수도 있다. 더할 나위 없는 물질적 안락을 누리는 사람들도 괴로움을 겪는다. 우리는 좌선을 할 때나 실제 그 사람과 접촉할 때 측은지심에 대한 명상의 대상인 그 사람을 깊이 들여다본다. 그 사람의 괴로움과 정말 깊이 접촉하기 위해서는 충분한 시간을 할애해야 한다. 측은지심이 일어나 우리의 존재를 관통할 때까지 지속적으로 그 사람을 관찰하는 것이다.

이런 식으로 깊이 관찰하면 명상의 열매가 자연스럽게 어떤 행동으로 변모할 것이다. 그저 "나 그 사람 아주 사랑해."라고 말하는 대신 "그 사람이 괴로움을 덜 겪도록 뭔가 할 거야."라고 말하게 될 것이다. 다른 사람의 괴로움을 능히 없앨 수 있어야 진정한 측은지심이 있는 것이다. 측은지심을 기르고 드러낼 수 있는 길을 찾지 않으면 안 된다. 상대방과 마주할 때 그 사람이 받아들이기 쉽지 않은 말을 하고 행동을 하더라도 우리의 생각과 행동은 측은지심을 드러내야 한다. 우리의 사랑은 상대방이 사랑받을 만한지 아닌지에 달려 있지 않다는 걸 분명히 알 때까지 수행하는 것이다. 그러면 우리의 측은지심이 확고하고 진정성이 있다는 걸 알 수 있다. 우리 스스로는 더욱 편안해질 것이고 우리 명상의 대상인 사람도 결국 덕을 보게 될 것이다. 그 사람의 괴로움은 서서히 줄어들 것이고 그의 삶은 우리의 측은지심으로 인해 더욱 밝아지고 기쁨이 넘치게 될 것이다.

우리에게 괴로움을 안겨준 사람들의 괴로움에 대해서도 명상할 수 있다. 우리가 괴로움을 겪도록 만든 사람도 의심의 여지없이 괴로움을 겪는다. 호흡 수행을 하고 깊이 들여다보면 자연스럽게 그의 괴로움이 보일 것이다. 그의 어려움과 슬픔의 일부는 어렸을 때 부모의 기술이 부족해 생긴 것인지도 모른다. 그러나 그의 부모 자신도 그들의 부모로 인한 피해자일 수 있다. 괴로움이 대대로 전해져 내려와 그의 몸 안에 다시 태어난 것이다. 그것을 알게 되면 더 이상 그 사람이 우리에게 괴로움을 주었다고 탓하지 않게 될 것이다. 그 사람 또한 피해자라는 걸 알기 때문이다. 깊이 들여다보는 것은 이해하는 것이다. 그가 나쁜 행동을 한 이유를 이해하면 그에 대한 원한은 사라지고 그 사람이 괴로움을 덜 겪기를 바라게 될 것이다. 우리는 시원하고 홀가분하다는 느낌이 들 것이고 미소 지을 수 있다. 서로의 화해를 이루는 데 그 사람이 꼭 있어야 할 필요는 없다. 깊이 들여다보면 우리 스스로와 화해하게 되고, 둘 사이의 문제는 더 이상 없다. 조만간 그는 우리의 태도를 알 것이고 우리 가슴속에서 자연스럽게 흘러나오는 사랑의 물줄기의 상쾌함을 같이 나누게 될 것이다.

사랑에 대한
명상

　　사랑의 마음은 우리 스스로와 남들에게 평화와 기쁨과 행복을 가져다준다. 알아차림 상태의 관찰은 이해의 나무를 키우는 요소이며 측은지심과 사랑은 가장 아름다운 꽃이다. 사랑의 마음을 알면 우리의 알아차림 관찰의 대상이었던 사람에게 가야 한다. 그래야 사랑의 마음이 단순히 상상속의 것이 아니라 이 세상에 실제로 영향을 미치는 에너지의 원천이 된다.

　　사랑에 대한 명상은 그저 가만히 앉아서 우리의 사랑이 소리나 빛의 파동처럼 퍼져나갈 것이라고 머릿속으로 그리는 것이 아니다. 소리와 빛은 어디든 뚫고 들어갈 능력이 있다. 사랑과 측은지심도 마찬가지다. 그러나 우리의 사랑이 상상에 불과하다면 아무런 실질적인 영향을 미치지 못할 것이다. 사랑의 마음이 실제로 존재하는지, 얼마나 안정적인지를 알 수 있는 것은 일상생활의 한가운데서이고, 다른 사람들과 실제로 접촉할 때이다. 사랑이 실체가 있다면 우리가 사람들과 세상과 관계를 맺는 방식으로 일상생활에서 분명히 드러날 것이다.

사랑의 원천은 우리 안에 깊숙이 있다. 우리는 다른 사람들이 많은 행복을 느끼게 도와줄 수 있다. 한 마디의 말, 하나의 행동, 하나의 생각이 다른 사람의 괴로움을 덜어주고 기쁨을 줄 수 있다. 한 마디의 말이 위안과 자신감을 주고 의심을 없애며 누군가가 실수를 피하고 갈등을 화해로 바꾸고 해방에의 문을 열도록 도와준다. 하나의 행동이 사람의 목숨을 구할 수도 있고 천재일우의 기회를 살리도록 도와준다. 하나의 생각도 마찬가지다. 생각은 늘 말과 행동으로 이어지기 때문이다. 사랑이 우리 가슴에 있다면 모든 생각과 말과 행동이 기적을 낳을 수 있다. 이해야말로 사랑의 토대이기 때문에 사랑에서 나오는 말과 행동은 늘 유익하다.

포옹의 명상

포옹은 서양의 아름다운 관습이다. 동양에서 온 나 같은 사람은 의식적 호흡 수행을 거기에 보태고 싶다. 품안에 아기를 안고 있거나 어머니나 남편이나 친구를 껴안을 때 세 번 숨을 들이쉬고 내쉬면 행복은 적어도 열 배 커질 것이다.

다른 일들을 생각하느라 주의가 산만해지면 포옹도 집중이 안 돼 깊이가 없고 별로 즐거운 포옹을 하지 못하게 된다. 그러니 자식이나 친구나 배우자를 껴안을 때는 먼저 의식적으로 숨을 들이쉬고 내쉬어 지금 이 순간으로 돌아오길 나는 권한다. 그런 다음 껴안고 의식적으로 세 번 호흡하면 그 어느 때보다 포옹의 즐거움을 많이 느낄 것이다.

우리는 콜로라도에서 심리치료사들과 안거를 하면서 포옹 명상 수행을 했다. 수행자 중 한 명이 필라델피아 집으로 돌아가는 길에 공항에서 이전과는 전혀 다른 방식으로 부인을 포옹했다. 이 일이 있고 나서 그의 부인은 시카고의 다음 안거에 합류했다. 이런 식의 편안한 포옹을 하는 데는 시간이 걸린다. 좀 허전하다는 느낌이 든다면 친구를 껴안을 때 자신이 거기에 정말로 있다는 걸 증명하기 위해 친구의 등을 철썩 때릴 수도 있다. 하지만 거기에 정말로 있기 위해서는 호흡만 하면 된다. 갑자기 친구는 완전히 살아 있는 존재가 된다. 두 사람은 그 순간에 존재한다. 그것이 아마 여러분 삶의 최고의 순간 중 하나일 것이다.

딸이 다가와 당신 앞에 모습을 드러낸다고 하자. 당신이 정말로 거기에 있지 않으면, 과거를 생각하고 미래를 걱정하고 화나 두려움에 사로잡혀 있다면, 딸이 당신 앞에 서 있다 하더라도 정말로 당신 앞에 있는 게 아니다. 그녀는 유령이나 마찬가지다. 당신도 역시 유령과 다름없다. 딸과 같이 있고 싶다면 지금 이 순간으로 돌아오지 않으면 안 된다. 의식적으로 호흡하고 몸과 마음을 하나로 만들면 당신은 다시 살아 있는 사람이 된다. 당신이 살아 있는 사람이 되면 딸도 역시 살아 있는 존재가 된다. 그녀는 경이로운 존재다. 살아 있음과의 진정한 만남은 그 순간에 가능해진다. 그녀를 품안에 안고 숨을 쉬면 당신의 사랑을 받는 존재의 소중함을 깨닫게 된다. 살아 있음은 거기에 있다.

친구에
투자하기

우리가 은행에 돈을 많이 넣어두었어도 괴로움으로 인해 아주 쉽사리 죽을 수 있다. 그러니 친구에 투자하고 친구를 살아 있는 친구로 만들고 친구의 공동체를 만드는 것이 훨씬 더 나은 안전의 원천이다. 우리는 어려운 순간에 기대고 다가갈 사람이 있는 것이다.

우리는 다른 사람들의 애정 어린 지원 덕분에 우리 내부와 주변에서 원기를 되찾아주고 치유해주는 요소들과 만날 수 있다. 친구들로 이뤄진 좋은 공동체가 있으면 우리는 매우 복이 많은 사람들이다. 좋은 공동체를 만들기 위해선 먼저 우리 자신을 공동체의 좋은 구성원으로 변모시켜야 한다. 그런 다음 다른 사람을 찾아가 그 공동체의 구성원이 되도록 도와주면 된다. 우리는 그런 식으로 친구들의 네트워크를 만든다. 우리는 친구들과 공동체를 가장 소중한 우리의 자산으로 생각해야 한다. 그들은 우리가 어려울 때 위안이 되고 도움이 된다. 그리고 그들은 우리의 기쁨과 행복을 함께 나눌 수 있다.

손자를 돌보는
커다란 기쁨

노인들은 자식들이나 손자들과 떨어져 살아야 할 때 대단히 쓸쓸해한다는 걸 여러분은 안다. 내가 좋아하지 않는 것 중의 하나다. 나의 모국에서는 나이든 사람들이 젊은 사람들과 같이 살 권리가 있다. 어린이들에게 동화를 들려주는 일은 할머니, 할아버지가 한다. 나이가 먹으면 살가죽이 차가워지고 쭈글쭈글해진다. 손자를 따뜻하고 다정하게 안아주는 건 이 노인들에게 큰 기쁨이다. 노인들의 가장 속 깊은 희망은 손자를 품에 안고 돌보는 것이다. 노인은 낮이고 밤이고 그걸 바란다. 딸이나 며느리가 임신했다는 얘기를 들으면 아주 행복하다. 요즘 노인들은 다른 노인들 속에 끼어 사는 요양원으로 가야 한다. 일주일에 그저 한 번 휙 하고 방문객이 찾아온다. 왔다 가면 더 쓸쓸해진다. 노인들과 젊은 사람들이 다같이 살 방법들을 찾아야 한다. 그래야 우리 모두가 행복해질 것이다.

깨어 있는 생활의 공동체

좋은 공동체의 토대는 기쁨이 넘치고 행복한 일상 생활이다. 플럼 빌리지에서는 어린이들이 관심의 초점이 된다. 어른들에겐 아이들을 행복하게 해줄 책임이 있다. 어린이들이 행복하면 어른들도 쉽게 행복해질 수 있다는 걸 알기 때문이다. 내가 어렸을 때는 대가족이었다. 부모님과 사촌, 숙부, 숙모, 조부모, 아이들이 다 함께 살았다. 누울 수 있는 해먹과 피크닉을 할 수 있는 나무들로 둘러싸여 있었다. 그 시절엔 사람들이 지금처럼 골칫거리가 많지 않았다. 지금은 가족이라고 해야 어머니, 아버지, 아이 한두 명으로 단출하다. 부모가 골칫거리가 있으면 온 가족이 영향을 받는다. 아이들이 자리를 피하려고 화장실로 들어가도 무거운 분위기를 느끼게 된다. 그들은 괴로움의 씨앗을 갖고 성장해 진정으로 행복해지지 못할 수도 있다. 예전의 대가족이 함께 살던 때는 문제가 있으면 아이들은 자리를 피해 숙모나 숙부, 또는 다른 가족 구성원에게로 가 있을 수 있었다. 아이들은 기댈 수 있는 사람이 있었고 사회 분위기도 지금처럼 그렇게 험악하지 않았다.

나는 지금은 함께 살지는 않더라도 '숙모와 숙부, 사촌'이라는 인적 네트워크를 찾아가 만날 수 있는 깨어 있는 생활의 공동체가 우리에게 과거의 대가족을 대신해줄 것으로 생각한다. 우리는 누구나 풍경의 여러 특색과 종소리와 심지어는 건물들까지도 우리를 깨어 있음으로 돌아오게 해주는 그러한 곳에 속할 필요가 있다. 정기적인 안거 수행을 할 수 있는 명상원이 있을 것이고 각 개인과 가족이 거기에서 깨어 있는 생활의 기술을 익히고 실천할 수 있으리라고 상상해본다.

거기에 사는 사람들은 깨어 있는 삶의 열매인 평화와 신선함을 발산할 것이다. 그들은 아름다운 나무와 같을 것이며 방문객들은 그

곳을 찾아가 그들의 그늘 아래 앉고 싶어할 것이다. 실제로 찾아가지 못하더라도 그것을 생각하고 미소를 짓기만 하면 스스로 평화로워지고 행복해질 것이다.

우리는 또 우리 가족과 가정을 조화와 깨어 있음을 실천하는 공동체로 변모시킬 수 있다. 우리는 다함께 알아차림의 상태로 같이 앉아 차를 마시며 호흡하고 미소 짓는 수행을 할 수 있다. 종이 있다면 그것 또한 공동체의 일부다. 수행을 도와주기 때문이다. 명상 방석이 있다면 그것도 역시 공동체의 일부다. 숨 쉬는 공기 등 수많은 다른 것들과 마찬가지로 알아차림 수행에 도움이 된다. 공원이나 강둑 근처에 산다면 거기에서 걷기 명상을 즐길 수 있다. 이런 모든 노력이 집에서 공동체를 구현할 수 있게 도와준다. 때로는 친구를 초대해 같이 수행을 할 수도 있다. 알아차림 수행은 공동체에 있을 때 훨씬 쉬워진다.

알아차림 수행의
현실 참여

내가 베트남에 있을 때 너무나도 많은 마을이 폭격을 당했다. 수도원의 형제 자매들과 더불어 나는 어떻게 해야 할지 결정해야 했다. 선원(禪院)에서 수행을 계속해야 할지, 아니면 선원에서 나와 폭격으로 고통받는 사람들을 도와주어야 할지? 깊은 성찰 끝에 우리는 둘 다 하기로 했다. 수도원에서 나와 사람들을 도와주되 알아차림의 상태로 그렇게 하기로 한 것이다. 우리는 그것을 참여 불교라 불렀다. 알아차림 수행은 참여해야 한다. 일단 보면 행동이 뒤따라야 한다. 그렇지 않으면 보는 것이 무슨 소용이 있는가?

우리는 세상의 실제적인 문제들을 알아야 한다. 그런 다음 알아차림의 상태로, 도움이 되기 위해 무엇을 하고 무엇을 하지 말지를 생각해야 한다. 어려울 때도 호흡의 알아차림을 유지하고 미소 짓는 수행을 계속하면 많은 사람들과 동물과 식물이 그 혜택을 볼 것이다. 여러분은 발이 대지에 닿을 때마다 대지를 느끼는가? 기쁨과 평화의 씨를 심는가? 나는 걸음걸음마다 그렇게 하려고 노력한다. 나는 대지가 매우 고마워한다는 걸 안다. 발걸음마다 평화다. 여행을 계속해보자.

3

발걸음마다
평화

연결된
존재

여러분이 시인이라면 이 종이에 구름이 떠 있는 걸 분명히 볼 것이다. 구름이 없으면 비가 없다. 비가 없으면 나무가 자랄 수 없다. 나무가 없으면 종이를 만들 수 없다. 구름은 종이가 존재하는데 필수불가결하다. 구름이 여기 없으면 종이도 여기 있을 수 없다. 그렇기 때문에 구름과 종이는 '연결되어 있다'고 말할 수 있다. '연결된 존재Interbeing'은 아직 사전에 나오지 않는 단어다. 하지만 'inter'라는 접두사와 'to be'라는 동사를 결합하면 'inter-be'라는 새로운 동사가 만들어진다.

이 종이를 더 깊이 들여다보면 햇빛을 볼 수 있다. 햇빛이 없으면 숲은 자랄 수 없다. 사실 햇빛이 없으면 어느 것도 자랄 수 없다. 따라서 우리는 햇빛 또한 이 종이 안에 있다는 걸 안다. 종이와 햇빛은 서로 연결되어 있다. 계속 들여다보면 종이를 만들 수 있게 나무를 베어 공장에 보낸 벌목꾼을 볼 수 있다. 그리고 우리는 밀을 본다. 일용할 빵이 없으면 벌목꾼은 존재할 수 없다. 따라서 그가 먹는 빵이 된 밀도 이 종이 안에 있다. 벌목꾼의 아버지와 어머니도 역시 그 안에 있다. 이런 식으로 들여다보면 이 모든 것이 없이는 종이는 존재할 수 없다는 걸 알게 된다.

더욱 더 깊이 들여다보면 이 종이 안에서 우리 스스로를 발견할 수 있다. 이것은 그리 어렵지 않다. 종이를 본다는 것은 우리 지각의 일부이기 때문이다. 여러분의 마음도 그 안에 있고 내 마음 또한 그렇다. 따라서 우리는 모든 것이 이 종이와 더불어 여기 있다고 말할 수 있다. 시간, 공간, 땅, 비, 흙 속의 무기물, 햇빛, 구름, 강, 열기 등 여기 있지 않은 것은 그 어떤 것도 없다. 모든 것이 이 종이와 공존하고 있다. 그렇기 때문에 나는 'inter-be'라는 단어를 사전에 실어야 한다고 생각한다. '있다to be'는 것은 '연결되어 있다to inter-be'. 우리는 우리 혼자 있을 수 없다. 우리는 모든 다른 것과 '연결되어 있어야' 한다. 다른 모든 것이 있기 때문에 이 종이는 있다.

그런 요소 중의 하나를 그 원천으로 되돌려놓으려 한다고 해보자. 햇빛을 태양으로 되돌려놓는다고 해보자. 이 종이가 있을 수 있다고 생각하는가? 아니다. 햇빛이 없이는 아무것도 있을 수 없다. 또 벌목꾼을 그 어머니에게 되돌려놓으면 종이는 역시 존재할 수 없다. 사실 이 종이는 '종이 아닌' 요소들로만 이뤄져 있다. 우리가 종이가 아닌 요소들을 그 원천으로 되돌려 놓으면 종이라는 것은 절대 있을 수 없다. 마음, 벌목꾼, 햇빛 같은 종이가 아닌 요소들이 없이는 종이는 존재할 수 없다. 이 종이는 얇디얇지만 그 안에는 우주의 모든 것이 들어 있다.

꽃과
쓰레기

불결하거나 순결하다. 더럽거나 깨끗하다. 우리가
마음속에 그리는 개념들이다. 이제 막 꺾어와서 꽃병에 꽂아놓은 아
름다운 장미는 깨끗하다. 향기도 너무 좋고 싱싱하다. 쓰레기통은 그
반대다. 악취가 나고 썩은 것들로 채워져 있다.

그러나 우리가 표면만 볼 때 그럴 뿐이다. 깊이 들여다보면 불과 닷
새, 엿새 안에 장미가 쓰레기의 일부가 된다는 걸 알 것이다. 그걸 알
기 위해 꼭 닷새를 기다릴 필요는 없다. 그저 장미를 보되 깊이 있게

보면 지금 알 수 있다. 쓰레기통을 들여다보면 몇 달 안에 그 내용물이 멋진 채소, 심지어는 장미로 변할 수 있다는 걸 안다. 여러분이 훌륭한 유기농 정원사라면 장미를 보면서 쓰레기를 볼 수 있고 쓰레기를 보면서 장미를 볼 수 있다. 장미와 쓰레기는 연결되어 있다. 장미 없이는 쓰레기를 가질 수 없다. 또 쓰레기 없이는 장미를 가질 수 없다. 그 둘은 서로를 매우 필요로 한다. 장미와 쓰레기는 대등하다. 쓰레기는 장미만큼 소중하다. 우리가 불결함과 순결함의 개념을 깊이 들여다보면 연결된 존재의 개념으로 돌아가게 된다.

마닐라 시에는 어린 창녀들이 많이 있다. 14살, 15살밖에 안 된 애들도 있다. 그들은 매우 불행하다. 창녀가 되고 싶지 않았지만 집이 가난하다. 그래서 이 어린 소녀들은 집에 보낼 돈을 벌기 위해 노점상 같은 일자리를 찾으러 도시로 갔다. 물론 마닐라만 그런 게 아니다. 베트남의 호치민 시, 뉴욕 시, 파리도 마찬가지다. 도시에서 몇 주 지내고 나면 어리숙한 소녀에게 영리한 사람이 접근해 자기 밑에서 일하면 아마 노점상보다 100배는 더 돈을 많이 벌 수 있을 것이라고 꾄다. 소녀는 아직 어리고 세상 물정을 잘 모르기 때문에 제안을 받아들여 창녀가 된다. 그 뒤로는 순수하지 못하고 더럽혀졌다는 생각을 갖게 되고 큰 괴로움을 겪게 된다. 집안이 좋고 멋진 옷을 입은 다른 어린 소녀들을 보고 있노라면 비참하다는 느낌이 솟구친다. 더럽혀졌다는 느낌은 소녀의 지옥이 된다.

그러나 자기 자신과 전체적인 상황을 깊이 들여다볼 수 있다면 다른 사람들이 지금처럼 살기 때문에 자기도 지금처럼 산다는 걸 알게 될 것이다. 우리 가운데 어느 누구도 결백한 사람은 없다. 우리 가운데 어느 누구도 그것이 우리 책임이 아니라고 주장할 수 없다.

부와 가난을 살펴보자. 풍요로운 사회와 박탈당한 사회는 연결되어 있다. 어느 사회의 부는 다른 사회의 가난으로 만들어진 것이다. '저것이 저렇기 때문에 이것은 이렇다.' 부는 '부 아님'의 요소로 이루어져 있고 가난은 '가난 아님'의 요소로 되어 있다. 종이의 경우와 똑같은 것이다. 그렇기 때문에 우리 자신을 어떤 개념에 가두어놓지 않도록 유의해야 한다. 삼라만상의 이치는 모든 것은 다른 모든 것을 포함하고 있다는 것이다. 우리는 그저 있을 수 없다. 오로지 연결되어 있는 것이다. 우리는 주변에서 일어나는 모든 일에 책임이 있다.

오로지 연결된 존재의 눈으로 볼 때만 비로소 어린 소녀는 괴로움에서 해방될 수 있다. 그 때 비로소 소녀는 자기가 온 세상의 짐을 지고 있다는 걸 이해하게 될 것이다. 그 소녀에게 달리 무엇을 줄 수 있는가? 우리 자신을 깊이 들여다보면 그 소녀가 보인다. 그럴 때 우리는 소녀의 고통을 나누고 온 세상의 고통을 나누게 될 것이다. 그래야 진짜 도움을 주기 시작할 수 있다.

평화 지키기

지구가 여러분의 몸이라면 고통을 겪는 지역이 많다는 걸 느낄 수 있을 것이다. 전쟁과 정치, 경제적인 탄압, 기아와 공해가 너무 많은 곳에서 파탄을 일으키고 있다. 매일 어린이들은 눈곱만큼의 먹을 것을 찾으려고 쓰레기 더미를 하염없이 뒤지다 영양실조로 눈이 멀어간다. 어른들은 폭력에 맞서다 감옥에 갇혀 서서히 죽어가고 있다. 강은 죽어가고 있고 공기는 점점 더 숨 쉬기 어려워지고 있다.

많은 사람들이 세상의 괴로움을 알고 있다. 그들의 가슴은 측은지심으로 채워져 있다. 그들은 무엇을 해야 하는지를 안다. 상황을 바꾸기 위해 정치, 사회, 환경 분야의 활동에 참여한다. 그러나 치열한 참여의 시기를 거쳐 활동가의 삶을 지탱하는데 필요한 힘이 빠져버리면 낙담할지도 모른다. 진정한 힘은 권력이나 돈, 무기에 있지 않고 깊은 내면의 평화에 있다.

일상생활에서 매 순간 알아차림 수행을 하면 우리 자신의 평화를 가꿀 수 있다. 명상의 소산인 명료함과 의지, 인내가 있으면 활동가의 삶을 지탱할 수 있고 평화의 진정한 도구가 될 수 있다. 나는 약자를 돌보고, 사회 정의를 위해 애쓰고 빈부 격차를 줄이고 군비 경쟁을 종식시키고 차별에 맞서고 세계 곳곳에서 사랑과 이해의 나무에 물을 주는 데 시간과 에너지를 쓰는 다양한 종교, 문화적 배경을 가진 사람들에게서 이런 평화를 본다.

불이

무언가를 이해하고 싶다면 그저 바깥에 서서 관찰할 수는 없다. 진정으로 이해하기 위해서는 그 속으로 깊숙이 들어가 하나가 되어야 한다. 어떤 사람을 이해하고 싶다면 그 사람의 감정을 그대로 느끼고 그 괴로움을 겪고 그 기쁨을 같이 누리지 않으면 안 된다. '이해하다comprehend'라는 낱말은 라틴어의 with라는 뜻을 지닌 cum과 '붙잡다 또는 집다'라는 뜻인 prehendere로 이루어져 있다. 어떤 것을 이해한다는 것은 그것을 집어 그것과 하나가 된다는 뜻이다. 어떤 것을 이해할 수 있는 다른 방법은 없다. 불교에서는 이런 이해를 '불이(不二)'라고 부른다. 둘이 아닌 것이다.

15년 전 나는 베트남 전쟁 희생자인 고아들을 위한 위원회를 돕는 일을 했다. 베트남에서 사회 복지사들이 어린아이의 조그만 사진과, 이름과 나이, 형편을 적은 종이 한 장짜리 신청서를 보내왔다. 내 일은 베트남에서 온 신청서를 불어로 번역하는 것이었다. 그것은 후견인을 물색해 어린아이가 먹을 식량과 학교에서 배울 책을 마련해주고 숙모, 숙부, 조부모 역할을 할 가정에 입양시키기 위한 중요한 작업이다. 프랑스에 있는 위원회는 이 신청서를 참고하여 어린이 양육 지원 명목으로 해당 가정에 돈을 보내주게 된다.

매일 나는 약 30장의 신청서를 번역하는 일을 도왔다. 내가 일을 한 방식은 어린아이의 사진을 보는 것이었다. 신청서는 읽지 않았다. 그저 천천히 아이의 사진을 보았다. 보통 30~40초 지나면 나는 어린아이와 하나가 되었다. 그런 다음 펜을 들어 신청서를 번역해 다른 서식으로 옮겼다. 나중에 나는 신청서를 번역한 게 내가 아니라는 걸 깨달았다. 이미 하나가 된 그 어린아이와 내가 한 것이었다. 어린아이의 얼굴을 보면 나는 힘이 생겼다. 나는 어린아이가 되었고 그 어린아이는 내가 되었다. 우리는 공동 번역을 했다. 아주 자연스러운 일이다. 그렇게 하기 위해 많은 명상 수행을 할 필요는 없다. 그저 눈으로 보고 여러분이 그 어린아이가 되어 어린아이 속으로 들어가고 그 어린아이가 스스로를 여러분 속으로 들어오도록 하면 된다.

전쟁의 상흔
치유하기

미국이 베트남에 대해 불이의 안목만 가지고 있었
다면 두 나라가 그렇게 많은 파괴를 겪지는 않았을 것이다. 전쟁은
미국과 베트남 양 국민들에게 상처를 주었다. 우리가 주의를 충분히
기울이면 베트남전에서 아직도 교훈을 얻을 수 있다.

우리는 미국의 베트남전 참전 용사들과 훌륭한 안거 수행을 했다.
우리 중 상당수가 고통에서 벗어나지 못한 상태여서 어려운 안거 수
행이었다. 어느 신사가 나한테 말하기를 베트남에 있을 때 하루에 단

한 번의 전투로 417명의 목숨을 잃었다고 했다. 한 차례 전투로 417 명이 죽었다. 그래서 그는 15년 이상을 그걸 안고 살아야 했다. 또 다른 참석자는 분노와 복수심에 불타 한 마을의 어린아이들을 죽였고 그 뒤로는 모든 평화를 잃었다고 말했다. 그 이후로 그는 방에서 어린 아이들과 마주앉아 있을 수가 없었단다. 세상에는 많은 종류의 괴로움이 있다. 이런 괴로움은 우리들이 괴로움 없는 세상과 접촉하는 걸 방해할 수 있다.

우리는 서로가 접촉하도록 돕는 수행을 해야 한다. 한 참전 용사는 이번 안거 수행에 대해 15년 만에 처음으로 한 무리의 사람들 속에서 안전하다고 느꼈다고 말했다. 15년 동안 그는 딱딱한 음식을 쉽게 삼키지 못했단다. 과일 주스나 마시고 과일이나 먹고 살았다. 외부 세계와 완전히 차단되어 소통을 하지 못했다. 그러나 사나흘 동안의 수행 덕분에 이제 입을 열고 사람들과 대화를 나누게 되었다. 그런 사람이 세상과 다시 접촉할 수 있게 도와주려면 자비심을 많이 베풀지 않으면 안 된다. 안거 수행을 하면서 우리는 우리 내부에 있는 꽃으로, 우리를 보호해주는 나무와 푸른 하늘로 돌아오도록 서로 격려해 주면서 알아차림의 자세로 호흡하고 미소 짓는 수행을 했다.

우리는 말없이 아침을 먹었다. 우리는 내가 어린 시절 과자를 먹는 방식으로 아침을 먹는 수행을 했다. 우리는 지구와 접촉하기 위해 알아차림의 발걸음을 떼고 공기와 접촉하기 위해 의식적으로 호흡하고 차와 진정으로 접촉하기 위해 차를 깊이 들여다보는 식으로 수행을 했다. 우리는 같이 앉고 같이 숨 쉬고 같이 걸었다. 그리고 베트남전의 경험에서 배우려고 애썼다. 참전 용사들은 앞으로 일어날 것 같은 다른 문제들, 베트남전과 다를 것 같지 않은 문제들을 어떻게 다룰지에 대해 국민들에게 말하고 싶은 것이 있다. 우리의 고통에서 우리는 교훈을 얻어야 한다.

우리에겐 연결된 존재에 대한 안목이 필요하다. 우리는 서로에게 속해 있고 현실을 조각조각 쪼갤 수 없다. '이것'의 안락함이 '저것'의 안락함이다. 그래서 우리는 같이 일을 해야만 한다. 모든 편이 '우리 편'이다. 나쁜 편은 없다. 참전용사들은 전쟁의 뿌리와 평화로 가는 길을 밝게 비춰주는, 양초 끝의 빛과 같은 존재가 될 수 있는 경험을 갖고 있다.

태양은
나의 심장

우리는 심장이 박동을 멈추면 우리 생명의 흐름이 멈춘다는 걸 안다. 그래서 우리는 심장을 매우 소중하게 여긴다. 하지만 우리는 우리 몸 밖의 다른 것들도 생존에 필수적이라는 걸 인식하지 못하고 넘어가는 경우가 보통이다. 우리가 태양이라고 부르는 거대한 빛을 보자. 태양이 더 이상 비추지 않으면 우리 생명의 흐름 또한 멈출 것이다. 그래서 태양은 우리 몸 밖에 있는 제2의 심장이다. 이 거대한 '심장'이 지구 위의 모든 생명에게 생존에 필요한 온기를 준다. 식물들도 태양 덕분에 살아간다. 나뭇잎은 공기 중의 이

산화탄소와 더불어 태양의 에너지를 빨아들여 나무와 꽃과 플랑크톤을 위한 먹이를 생산해낸다. 그리고 식물 덕분에 우리와 다른 동물들은 살 수 있다. 사람이든 동물이든 식물이든 우리 모두는 직, 간접적으로 태양 에너지를 소모한다. 우리는 우리 몸 밖에 있는 거대한 심장인 태양의 모든 영향을 다 설명하지 못한다. 우리 몸은 살가죽의 경계 안쪽에 있는 것으로 한정되어 있지 않다. 훨씬 더 거대하다. 우리의 몸은 지구를 둘러싼 공기의 층까지 포함하고 있다. 대기가 단 한순간이라도 사라진다면 우리 생명은 끝나기 때문이다. 우주에는 바다의 밑바닥에 자리를 잡고 있는 자갈에서부터 수백만 광년 떨어진 은하계의 움직임에 이르기까지 우리와 밀접하게 관련되어 있지 않은 것이 없다. 월트 휘트먼은 이렇게 말했다. "나는 풀잎이 별들의 운행보다 못할 게 없다고 믿고 있다." 이 말은 철학이 아니다. 영혼의 깊은 곳에서 나온 말이다. "나는 드넓다. 수많은 것들이 내 안에 있다."

깊이
들여다보기

우리는 '보기' 위해서 사물을 깊이 들여다보아야
한다. 헤엄치는 사람이 강의 맑은 물을 즐기려면 강이 되어야 한다.
언젠가 미국을 처음 방문했을 때 친구 몇몇과 보스턴 대학에서 점심
을 먹으며 찰스 강을 내려다보았다. 나는 고향을 떠난 지가 꽤 되어
강을 보고는 아주 아름답다고 느꼈다. 그래서 친구들을 남겨두고 모
국에 있을 때처럼 얼굴을 씻고 발을 담그기 위해 강으로 내려갔다.
돌아왔더니 교수 한 사람이 말했다. "아주 위험한 일이에요. 강물로
입 안도 헹구었습니까?" 그렇다고 했더니 이렇게 말했다. "병원에 가

서 주사 한 대 맞으세요!"

나는 충격을 받았다. 여기 강들이 그렇게 오염된 줄은 몰랐었다. 몇 몇은 이렇게 말했다. '죽은 강'이라고. 우리나라에서는 강이 때로는 아주 흙탕물이지만 이 정도로 더럽지는 않다. 누군가 나에게 독일의 라인 강은 하도 화학물질이 많아 사진을 현상할 수 있을 정도라고 했다. 우리가 강에서 헤엄치고 주변을 걷고 물까지 마시는 등 강을 계속 즐기기 위해서는 불이의 안목을 갖지 않으면 안 된다. 우리가 강의 두려움과 희망을 경험하기 위해서는 스스로가 강이 되는 명상을 해야 한다. 우리가 강과 산과 공기와 동물과 사람들을 그들의 관점으로 느낄 수 없다면 강은 죽을 것이고 우리는 평화의 기회를 잃어버릴 것이다.

여러분이 등산을 자주 하거나 교외나 숲을 즐겨 찾는다면 태양이 우리 몸 밖에 있는 심장인 것처럼 숲은 우리 몸 밖에 있는 허파라는 걸 안다. 하지만 우리는 2백만 평방 마일의 삼림지대를 산성비로 파괴해 왔다. 또 우리가 직접적으로 쐬는 햇빛의 양을 제어하는 오존층의 일부도 파괴해 왔다. 우리는 작은 자아에 갇혀 그런 자아의 편안한 환경만 생각하다 큰 자아를 파괴하고 있다. 우리는 우리의 진정한 자아가 될 수 있어야 한다. 그것은 우리가 강이 되고 숲이 되고 해가 되고 오존층이 될 수 있어야 한다는 뜻이다. 우리는 미래를 이해하고 희망을 갖기 위해서 이렇게 하지 않으면 안 된다.

깨어 있는
생활의 기술

자연은 우리의 어머니. 자연과 떨어져 살기 때문에 아픈 것이다. 우리들 중에는 땅에서 높이 치솟은 아파트라고 불리는 상자 안에 사는 사람들이 있다. 주위에는 시멘트와 쇠붙이를 비롯해 딱딱한 것들만 있다. 우리 손은 흙을 만질 기회가 없다. 상추도 더 이상 키우지 않는다. 대지에서 너무 멀리 떨어져 있기 때문에 아픈 것이다. 그래서 이따금씩은 밖에 나가 자연 속에 있을 필요가 있다. 매우 중요한 일이다. 우리와 우리 자식들은 대지와 다시 접촉해야 한다. 나무를 볼 수 없는 도시들도 많다. 초록의 색깔이 시야에서 완전히 사라진 것이다.

어느 날 나는 나무 한 그루만 달랑 있는 도시를 상상했다. 그 나무는 여전히 아름다웠지만 도시 한복판에서 건물들에 둘러싸여 아주 외롭게 서 있었다. 아픈 사람들이 많이 생겼다. 대부분의 의사들은 이 병을 어떻게 치료할지 몰랐다. 하지만 한 훌륭한 의사가 병의 원인을 알고 환자들에게 이런 처방을 내렸다. "매일 버스를 타고 도시 한복판으로 가 나무를 보세요. 가까워지면 숨을 들이쉬고 내쉬는 수행을 하고, 도착하면 더없이 초록으로 물든 나무를 보고 더없이 향긋한 그 껍질의 향기를 맡으면서 나무를 껴안고 15분 동안 숨을 들이쉬고 내쉬어보세요. 그렇게 하면 몇 주 안에 몸이 훨씬 좋아질 거예요."

사람들은 몸이 좋아지기 시작했다. 그러나 얼마 안 지나 너무 많은 사람들이 나무로 몰려들어 몇 마일씩이나 장사진을 쳤다. 알다시피 요즘 사람들은 인내심이 별로 없어서 나무를 껴안으려고 3~4시간씩 줄을 서 기다리는 건 못 참는다. 그래서 사람들은 반기를 들었다. 각자가 5분 동안만 나무를 껴안을 수 있는 새로운 법을 만들기 위해 시위를 벌였다. 하지만 어쩔 수 없이 치유할 시간이 줄어들었다. 급기야 그 시간은 1분으로 줄어들었고 대지의 치유를 받을 기회는 사라졌다.

정신 바짝 차리지 않으면 곧 그런 상황에 처할 수 있다. 우리의 대지와 우리 자신과 후손들을 구하려면 개개의 사물에 대한 깨어 있음을 실천해야 한다. 예를 들어 쓰레기를 들여다보면 상추와 오이와 토마토와 꽃을 볼 수 있다. 바나나 껍질을 쓰레기통에 던지면 우리가 버리는 것은 바나나 껍질이고 그것이 얼마 안 지나 꽃이나 채소로 변모하리라는 걸 안다. 이것이 바로 명상 수행이다.

비닐 봉투를 쓰레기통에 던지면 우리는 그것이 바나나 껍질과는 다르다는 걸 안다. 꽃이 되려면 긴 시간이 걸릴 것이다. "비닐 봉투를 쓰레기통에 던지면서 나는 내가 비닐 봉투를 쓰레기통에 던지고 있다는 걸 안다." 이러한 자각만으로도 대지를 보호하고 평화를 만들고 지금 이 순간과 미래의 삶을 돌보는데 도움이 된다. 우리가 깨어 있으면 자연히 비닐 봉투를 적게 쓰려고 애쓸 것이다. 이것이 평화이고 평화를 위한 행동의 기본이다.

일회용 비닐 기저귀를 쓰레기통에 버릴 때 우리는 그것이 꽃이 되는 데 4백년이나 그 이상 걸릴 것이라는 걸 안다. 이런 기저귀를 쓰는 것이 평화를 위한 방향에 어긋난다는 걸 알기 때문에 우리는 아기들을 돌볼 다른 방법을 찾는다. 호흡 수행을 하고 우리 몸과 감정과 마음과 마음의 대상을 관조하면서 지금 이 순간에 평화를 실천한다. 이것이 알아차림의 상태로 사는 것이다.

핵 폐기물은 가장 나쁜 종류의 쓰레기다. 꽃이 되는 데 약 25만 년이 걸린다. 미국의 50개 주 가운데 40개 주는 이미 핵 폐기물로 오염돼 있다. 우리는 지구를 우리와 후손들이 살 수 없는 곳으로 만들고 있다. 알아차림의 상태로 지금 이 순간을 살면 무엇을 해야 하고 무엇을 하지 말아야 할지를 알게 되고 평화를 위한 방향으로 일하려고 애쓸 것이다.

깨어 있음에
자양분 주기

　　저녁 식사 자리에 앉아 향긋하고 구미를 돋우는 음식으로 채워진 접시를 볼 때 우리는 기아에 허덕이는 사람들의 극심한 고통에 대한 자각을 키울 수 있다. 매년 4만 명의 어린이들이 기아와 영양실조로 죽는다. 매일! 이 숫자는 들을 때마다 우리에게 충격을 준다. 접시를 깊이 들여다보면 우리는 대지와 농부, 그리고 기아와 영양실조의 비극을 '볼' 수 있다.

　　북미와 유럽에 사는 우리들은 콜럼비아의 커피, 가나의 초콜릿, 태국의 고소한 쌀 등 제 3세계에서 수입한 곡물과 다른 먹을거리에 익숙해져 있다. 이런 나라에 사는 어린이들은 부잣집 아이들을 빼놓고는 그런 고급 먹을거리는 구경도 못한다는 걸 우리는 알아야 한다. 그 아이들은 질이 떨어지는 것을 먹고 상품은 외화를 벌어들이기 위해 수출용으로 따로 떼놓는다. 자기 자식을 먹여 살릴 수단이 없어 먹을 게 풍족한 집에 자식을 하인으로 팔아넘기는 부모들도 있다.

매끼 식사를 하기 전에 우리는 알아차림의 상태로 손바닥을 모으고 먹을 게 충분치 않은 아이들에 대해 생각해 볼 수 있다. 그렇게 하면 우리의 행운에 대한 알아차림을 유지하는 데 도움이 되고 언젠가는 이 세상에 존재하는 부당한 체제를 변혁시키는 데 도움이 될 만한 일을 할 방법을 발견하게 될 것이다. 매끼 식사 전 대부분의 피난민 가정에서는 어린이가 밥사발을 들어올리며 이렇게 말한다. "오늘 밥상에 맛있는 음식이 많이 있다. 나는 여기서 가족과 함께 이렇게 훌륭한 음식을 즐기고 있는 게 감사하다. 나는 운이 나보다 나빠 굶주리고 있는 아이들이 많다는 걸 안다." 피난민인 이 아이는 대부분의 태국 아이들이 지금 막 자기가 먹으려고 하는 좋은 태국산 쌀을 구경조차 못한다는 걸 안다. 선진화된 나라 아이들에게 이 세상의 모든 아이들이 그렇게 맛있고 영양이 풍부한 음식을 먹는 건 아니라고 이해시키기는 어렵다. 이런 실상을 아는 것만으로도 우리 자신의 심리적 고통을 극복하는 데 도움이 될 수 있다. 궁극적으로 명상은 우리의 도움을 절실히 필요로 하는 사람들을 어떻게 지원할지를 이해하는 데 보탬이 될 수 있다.

사랑의 편지

　　　　평화운동을 하다보면 분노와 좌절과 오해가 많이 생긴다. 평화운동을 하는 사람들은 항의 서한을 쓰는 데는 아주 능하지만 사랑의 편지를 쓰는 데는 서투르다. 우리는 의회와 대통령에게 편지를 보낼 때 그들이 그냥 내던져 버리지 않고 읽고 싶어지게 쓰는 방법을 익혀둘 필요가 있다. 말하는 방식이나 이해의 방식, 사용하는 언어가 사람들을 등 돌리게 만들어서는 안 된다. 대통령도 우리와 똑같은 사람이다.

평화운동이 평화를 위한 길을 제시하면서 애정어린 언어로 얘기할 수 있을까? 나는 평화운동에 종사하는 사람들이 '평화가 될' 수 있느냐에 달려 있다고 본다. 평화가 되지 않고서는 평화를 위한 그 어떤 것도 할 수 없다. 미소 짓지 못하면 남들이 미소 짓게 도와줄 수 없다. 우리가 평화롭지 못하면 평화운동에 기여할 수 없다.

나는 우리가 평화운동의 새로운 차원을 열 수 있기를 바라고 있다. 평화운동이 분노와 증오로 가득 차 있어 우리가 기대하는 역할을 다하지 못하는 경우가 적지 않다. 평화가 되고 평화를 이루는 참신한 방법이 필요하다. 그렇기 때문에 알아차림 수행을 하고, 볼 수 있는 능력을 배양하고, 보고 이해하는 것이 대단히 중요하다. 사물은 둘이 아니다(non-duality, 인식하는 '나'와 대상이 하나가 되는 상태)는 생각을 평화운동에 접목시킬 수 있다면 훌륭할 것이다. 그것만으로도 증오와 침략을 줄일 수 있다. 평화운동은 무엇보다 평화가 되는 것이다. 우리는 서로 의지한다. 우리 아이들은 그들의 미래를 우리에게 의지하고 있다.

시민정신

시민으로서 우리는 큰 책임을 갖고 있다. 우리의 일상생활, 마시는 방식, 먹는 것은 세계의 정치적 상황과 관련이 있다. 매일 우리는 평화와 관련 있는 일을 하고 있고, 우리 자신이 그 일이다. 우리의 생활 방식과 소비 방식, 사물을 보는 방식을 알아차리면 우리가 살아 있는 바로 지금 이 순간에 어떻게 평화를 이룰지 알 것이다. 우리는 정부가 그들이 원하는 대로 정책을 자유롭게 만들 수 있다고 생각한다. 그러나 그 자유는 우리의 일상생활에 달려 있다. 정부가 정책을 바꿀 수 있는 여건을 우리가 조성하면 정부는 그렇게 할 것이다. 아직 그것은 가능하지 않다.

여러분은 정부에 들어가 권력을 잡는다면 원하는 대로 무엇이든지 할 수 있을 것이라고 생각할지 모른다. 그러나 그건 그렇지 않다. 여러분이 대통령이 된다면 이런 엄연한 사실에 직면할 것이다. 여러분은 아마도 현 대통령과 거의 똑같은 일을 하거나 조금 더 잘 하거나 조금 더 못할 것이다.

명상은 사물을 깊이 들여다보고 어떻게 우리 스스로를 변화시키고 상황을 변모시킬 것인지를 아는 것이다. 우리가 처한 상황을 변모시킨다는 것은 우리 마음을 변모시키는 것이다. 우리 마음을 변모시킨다는 것은 우리가 처한 상황을 변모시키는 것이다. 상황이 마음이고 마음이 상황이기 때문이다. 깨달음은 중요하다. 폭탄의 본성과 부당함의 본성과 우리 자신의 존재의 본성은 똑같은 것이다.

우리 자신이 더 책임감 있게 살기 시작하면 우리 정치 지도자들에게 똑같은 방향으로 움직이도록 요청해야만 한다. 우리는 그들이 환경과 우리 의식을 더 이상 오염시키지 않도록 권장해야 한다. 우리는 그들이 평화에 대해 우리와 같은 사고방식을 가진 참모진을 임명하도록 도와줘야 한다. 그들이 이런 사람들에게서 조언과 지원을 얻도록 하기 위해서다. 우리 정치 지도자들을 지원하려면, 특히 그들이 공직 선거 운동을 할 때 그렇게 하려면 우리 스스로가 어느 정도 깨어 있어야 한다. 우리는 정치 지도자들이 얼마나 TV에 잘 생기게 나오는가를 보고 뽑았다가 나중에 그들이 알아차림의 내공이 없는 걸 알고 낙담하지 말아야 한다. 우리에겐 많은 중요한 문제들을 그들에게 알려줄 기회가 있다.

우리가 정치 지도자들은 알아차림 수행을 하는 사람들, 평정심과 평화와 세상의 바른 모습에 대한 깊은 이해가 있는 사람들의 도움을 받아야 한다는 소신을 피력하는 글을 쓰고 연설을 한다면, 평화의 방향으로 움직일 수 있게 도와주는 지도자들을 선택하기 시작할 것이다. 프랑스 정부는 시암만의 보트 피플을 구조하는 데 도움을 준 베르나르 쿠시망 같은 환경운동가와 인도주의자들을 여러 명 각료로 임명함으로써 이런 방향으로의 노력을 보였다. 이런 태도는 좋은 징조이다.

마음의 생태학

우리에겐 조화가 필요하고 평화가 필요하다. 평화는 생명에 대한 존중, 생명에 대한 경외심에 토대를 두고 있다. 우리는 인간의 생명을 존중해야 할 뿐만 아니라 동물과 식물, 광물의 생명도 존중해야 한다. 바위는 살아 있을 수 있다. 바위는 파괴될 수 있다. 지구도 마찬가지다. 공기와 물의 오염에 의한 우리의 건강 파괴는 광물의 파괴와 연결되어 있다. 우리가 농사를 짓는 방식, 쓰레기를 다루는 방식, 이 모든 것들이 서로 관련되어 있다.

생태학은 심오한 생태학이 되어야 한다. 심오할 뿐만 아니라 보편

적이어야 한다. 우리 의식 속에 공해가 있기 때문이다. 예를 들어 TV 는 우리와 우리 자식들에게 일종의 공해다. TV는 우리 자식들에게 폭력과 불안의 씨앗을 뿌리고 그들의 의식을 오염시킨다. 우리가 화학물질과 벌목과 수질 오염으로 환경을 파괴하듯이. 우리는 마음의 생태학을 보호할 필요가 있다. 그렇지 않으면 이런 종류의 폭력과 무모함이 지속적으로 삶의 많은 다른 영역으로 흘러들어갈 것이다.

전쟁의 뿌리

1966년 내가 미국에 체류하며 베트남전 휴전을 촉구했을 당시 한 젊은 미국의 평화운동가가 내 강연 도중 일어나 외쳤다. "스님이 할 수 있는 최선의 일은 스님의 조국으로 돌아가 미국의 침략자들을 무찌르는 거예요! 여기 있으면 안 돼요. 여기 있어야 아무 소용없어요!"

그 젊은이와 많은 미국인들은 평화를 원했다. 그러나 그들이 원한 평화는 자신들의 분노를 풀 수 있게끔 한 쪽이 지는 것이었다. 그들은 휴전을 촉구했었지만 성공하지 못해 화가 났고 마침내 자신들의 조국인 미국의 패전에 못 미치는 그 어떤 해결책도 받아들일 수 없었다. 그러나 폭격으로 고통받는 우리 베트남 사람들은 좀 더 현실적일 수밖에 없었다. 우리는 평화를 원했다. 우리는 어느 쪽의 승리나 패배에 관심이 없었다. 우리는 그저 폭탄이 우리 머리 위에 떨어지지 않기만을 바랐다. 그러나 평화운동을 하는 많은 사람들은 우리의 즉각적인 휴전 제안에 반대했다. 아무도 이해하지 못하는 것 같았다.

그래서 나는 그 젊은이가 "조국으로 돌아가 미국의 침략자들을 무찔러요."라고 외쳤을 때 평상심을 되찾기 위해 심호흡을 여러 번 한 뒤 말했다. "선생님, 내가 보기에 전쟁의 많은 뿌리는 여러분 나라에 있어요. 그래서 내가 여기 온 거예요. 그 뿌리 중의 하나는 세상을 보는 여러분의 방식인 거예요. 양측 모두 폭력의 힘으로 문제를 풀 수 있다고 믿는 정책, 잘못된 정책의 희생자입니다. 나는 베트남 사람들이 죽는 걸 바라지 않아요. 또 미국 병사들이 죽는 것도 바라지 않아요."

전쟁의 뿌리는 우리가 일상적으로 사는 방식에 있다. 산업을 발전시키고 사회를 건설하고 상품을 소비하는 방식 말이다. 우리는 상황을 깊이 들여다보아야 한다. 그러면 전쟁의 뿌리가 보일 것이다. 우리는 그저 어느 한 쪽을 탓할 수는 없다. 우리는 편을 들겠다는 생각을 뛰어넘어야 한다.

분쟁 중에는 모든 당사자의 고통을 이해할 수 있는 사람들이 필요하다. 예를 들어 남아프리카의 많은 사람들이 이편 저편으로 가 그들의 고통을 이해시키고 다른 편에 그걸 전달하면 큰 도움이 될 것이다. 우리는 다리 역할이 필요하다. 우리는 소통이 필요하다.

비폭력을 실천하는 것은 무엇보다 비폭력이 되는 것이다. 그러면 어려운 상황이 나타날 때 우리는 상황에 도움이 되는 방향으로 반응할 것이다. 이것은 사회의 문제뿐만 아니라 가정의 문제에도 해당된다.

나뭇잎처럼 우리도
많은 가지가 있다

어느 가을날 나는 공원에서 하트 모양의 아주 자그마하고 아름다운 나뭇잎을 응시하고 있었다. 색깔은 불그스름했고 언제라도 떨어질 것처럼 나뭇가지에 가까스로 매달려 있었다. 나는 나뭇잎과 오랜 시간을 보냈다. 나뭇잎에게 여러 가지 질문을 던졌다. 나는 나뭇잎이 나무의 어머니였다는 걸 안다. 보통 우리는 나무가 어머니이고 나뭇잎은 자식이라고 생각한다. 그러나 내가 나뭇잎을 보니 나뭇잎이 나무의 어머니이기도 하다는 걸 알았다. 뿌리가 빨아들이는 수액은 물과 무기물뿐이다. 나무에 자양분을 주는 데 충분치 못하다. 그래서 나무는 수액을 나뭇잎에 나눠준다. 나뭇잎은 거친 수액을 정제된 수액으로 변모시킨다. 그리고 태양과 기체의 도움을 받아 나무가 자양분을 얻도록 되돌려준다. 그러므로 나뭇잎은 나무의 어머니이기도 하다. 나뭇잎은 가지로 나무와 연결되어 있기 때문에 그들 사이의 소통은 쉽게 보인다.

우리에겐 더 이상 우리와 어머니를 연결시키는 가지가 없다. 그러나 어머니의 자궁에 있을 때 우리는 탯줄이라는 매우 긴 가지를 갖고 있었다. 필요한 산소와 영양분은 이 가지를 통해 우리에게 왔다. 하지만 태어난 그날 그 가지는 끊어졌고 우리가 독립된 개체라는 환상을 갖게 됐다. 그것은 그렇지 않다. 우리는 아주 오랫동안 어머니에 계속 의존하고 있고 다른 많은 어머니도 있다. 대지는 우리의 어머니다. 우리는 우리를 대지와 연결시키는 매우 많은 가지를 갖고 있다. 우리를 구름과 연결시키는 가지들도 있다. 구름이 없으면 우리가 마실 물이 없을 것이다. 우리는 적어도 70퍼센트 이상이 물로 이뤄져 있다. 구름과 우리 사이의 가지는 진짜로 거기에 있다. 강도 마찬가지이고 숲, 벌목꾼, 농부도 마찬가지다. 우리를 우주의 모든 것과 연결시켜줌으로써 우리를 지탱해주고 우리가 존재할 수 있게 해주는 수

많은 가지들이 있다. 여러분은 여러분과 나 사이의 연결 고리가 보이는가? 여러분이 거기 없으면 나는 여기 없다. 이것은 확실하다. 아직 보이지 않는다면 더 깊숙이 들여다보라. 그러면 틀림없이 보일 것이다.

나는 나뭇잎에게 이제 가을이 돼 다른 잎들이 떨어지니 겁나지 않느냐고 물었다. 나뭇잎은 나에게 말했다.

"아뇨. 봄과 여름 내내 온전하게 살아 있었잖아요. 나무에 영양분을 주기 위해 열심히 일했어요. 이제 저의 많은 부분이 나무 안에 있어요. 저는 이런 모습으로 한정돼 있지 않아요. 저는 나무 전체이기도 하지요. 다시 흙으로 돌아가면 계속 나무에 영양분을 줄 거예요. 그래서 전혀 걱정 안 해요. 나뭇가지를 떠나 땅 위에서 떠돌게 되면 나무에게 손을 흔들며 말할 거예요. 잠시 뒤 다시 보자고"

바람이 불어왔고 잠시 후 나는 나뭇잎이 기쁘게 춤추며 흙 위로 떠다니는 걸 봤다. 떠다니면서 나뭇잎은 스스로가 이미 나무 안에 있다는 걸 봤기 때문이다. 나뭇잎은 너무 행복했다. 나는 나뭇잎으로부터 배울 게 많다는 걸 알고 머리를 숙였다.

우리는 서로
연결되어 있다

많은 사람들이 스포츠를 좋아한다. 여러분이 축구나 야구를 즐겨 본다면 아마 어느 한 팀을 응원하고 그들과 동일시한다. 경기를 보면서 낙담하거나 열광할 것이다. 볼이 잘 나가게 하겠다는 마음에서 살짝 발차기나 스윙을 할지도 모른다. 어느 편을 들지 않으면 재미가 사라진다. 전쟁을 할 때도 우리는 편을 든다. 보통은 수세에 몰린 쪽이다. 평화운동은 이런 감정에서 탄생한다. 우리는 화를 내고 소리를 지르지만 이 모든 것을 넘어서서 자식 둘이 싸우는 걸 지켜보는 어머니의 심정으로 갈등을 바라보는 경우는 좀처럼 없다. 어머니는 오로지 화해만을 추구한다.

"한 배에서 태어난 병아리들이 서로 싸우려들 때는 얼굴색을 바꾼다." 잘 알려진 베트남 속담이다. 얼굴색을 바꾼다는 건 우리 형제자매에게 낯선 사람처럼 보이게 하는 것이다. 상대가 낯선 사람이어야만 총을 쏠 수가 있다. 화해를 위한 진정한 노력은 측은지심의 눈으로 볼 때 생긴다. 그러한 능력은 연결되어 있는 존재의 본성과 모든 존재의 상호침투를 분명히 이해할 때 생긴다.

살아가면서 우리는 동물과 식물에까지 사랑을 베푸는 사람을 운좋게 만날 수 있다. 우리는 또 스스로는 안전한 상황에 있지만 기아와 질병, 탄압으로 지구상의 수백만 명이 목숨을 잃고 있다는 사실을 깨닫고 고통을 겪는 사람들을 도와줄 방법을 찾는 사람들도 만날수 있다. 그들은 자신들의 목숨이 위협받고 있으면서도 짓밟힌 사람들을 잊지 못한다. 이 사람들은 적어도 어느 정도는 삶의 상호의존적 본성을 깨달은 것이다. 그들은 후진국의 생존이 물질적으로 풍요롭고 기술적으로 선진화된 나라들과 분리될 수 없다는 걸 안다. 가난과 탄압은 전쟁을 부른다. 우리 시대에 일어나는 전쟁은 예외 없이 모든 나라가 관련되어 있다. 각 나라의 운명은 다른 모든 나라의 운명과 연결되어 있다.

같은 어미닭에서 나온 병아리들이 얼굴의 성난 빛을 없애고 서로를 형제자매로 인정할 날은 언제인가? 위험을 종식시킬 유일한 방법은 우리 각자가 그렇게 하고 남들에게 말하는 것이다. "난 당신의 형제다. 난 당신의 자매다. 우리는 모두 인간이다. 우리 삶은 하나다."

화해

사람들에게 상처를 주어 이제 그 사람들이 우리를 적으로 여길 때 우리는 무엇을 할 수 있는가? 이 사람들은 우리 가정, 지역사회, 또는 다른 나라의 사람일 수 있다. 난 여러분이 답을 알리라 생각한다. 할 것은 별로 없다. 첫 번째는 이렇게 말하는 것이다. "미안해요. 내가 몰라서, 알아차리지 못해서, 기술이 모자라서 상처를 줬어요. 나 자신을 바꾸려고 최선을 다할게요. 감히 당신에게 더 이상 어떤 말도 못 하겠어요." 때로는 상처를 줄 의도가 없는데도 알아차림이나 기술이 부족해 다른 사람에게 상처를 준다. 어느 누구에게도 상처를 주지 않게 말하며 일상생활에서 알아차림의 상태를 유지하는 것은 중요하다.

두 번째는 우리 스스로를 변모시키기 위해 우리의 최상의 부분, 꽃에 해당되는 걸 꺼내려고 노력하는 것이다. 그것이 지금 여러분이 말한 것을 보여주는 유일한 길이다. 여러분이 신선하고 즐거운 마음이라면 상대방은 금세 알아챌 것이다. 그 사람에게 접근할 기회가 있다면 꽃이 되어 다가갈 수 있다. 그러면 상대는 여러분이 크게 달라졌다는 걸 곧 알아챌 것이다. 무슨 말을 할 필요가 없을지도 모른다. 여러분의 모습을 그냥 보면 상대방은 여러분을 받아들이고 용서할 것이다. 그것은 "그저 말이 아니라 살아 있는 모습으로 말하는 것이다."

여러분의 적이 괴로워하고 있다는 걸 알기 시작하면 그것이 꿰뚫어봄의 시작이다. 상대방이 괴로움을 그만 겪기를 바라는 마음이 스스로에게 있다는 걸 알면 그것이 진정한 사랑의 징조다. 그러나 조심해야 한다. 때로는 여러분이 실제보다 강하다고 생각할지 모른다. 여러분의 진정한 힘을 시험해보기 위해서는 상대방에게로 가 얘기를 듣고 말을 건네보기 바란다. 그러면 여러분의 자비심이 진짜인지 곧바로 발견하게 될 것이다. 스스로를 시험해보기 위해선 상대방이 필요하다. 이해나 사랑 같은 어떤 추상적인 원칙에 대해 그저 명상을 하면 그것은 단순히 상상일 뿐이고 진정한 이해나 사랑이 아닐지도 모른다.

화해는 이중성이나 잔혹함과 합의한다는 뜻이 아니다. 화해는 모든 형태의 야심에 반대하며 편들지 않는다. 우리 대부분은 어떤 접촉이나 갈등이 있을 때 편들고 싶어 한다. 우리는 부분적인 증거나 풍문으로 선과 악을 구분한다. 우리는 행동하기 위해서는 공분이 필요하다. 그러나 아무리 의롭고 정당한 공분이더라도 그게 전부가 아니다. 이 세상은 행동에 몸을 던질 사람이 부족하지 않다. 우리가 필요로 하는 것은 편드는 게 아니라 사랑할 수 있는 능력을 가진 사람들이다. 그래야 현실 전체를 껴안을 수 있다.

우리는 우간다나 에티오피아 어린이의 살가죽과 뼈를 우리 자신으로 여기고 모든 종의 신체가 겪는 기아와 고통을 우리 자신의 것으로 생각할 때까지 계속 알아차림과 화해의 수행을 하지 않으면 안 된다. 그래야 차별하지 않음과 진정한 사랑을 깨닫게 될 것이다. 그래야 모든 존재를 측은지심의 눈으로 바라볼 수 있고 고통을 덜어주기 위한 실제적인 일을 할 수 있다.

내 진짜 이름을
불러주오

프랑스에 있는 내 거처인 플럼 빌리지에는 싱가포르, 말레이시아, 인도네시아, 태국, 필리핀의 난민촌에서 보낸 편지가 날아온다. 매주 수백 통이다. 읽기가 무척 고통스럽다. 그러나 읽어야만 하고 마주쳐야 한다. 우리는 돕기 위해 최선을 다하지만 고통이 너무 엄청나 용기가 꺾일 때도 있다. 보트 피플의 절반은 바다에서 죽는다고 한다. 나머지 절반만 동남 아시아 해안가에 도착하는데 그때도 안전을 장담 못한다.

보트 피플 중에는 해적들한테 겁탈을 당하는 어린 소녀들도 많이 있다. 유엔과 많은 나라들이 그런 해적질을 막을 수 있게 태국 정부를 지원하고 있지만 해적들은 난민들에게 크나큰 고통을 안겨준다. 어느 날 우리는 조그만 배를 탄 소녀가 태국 해적에게 겁탈을 당했다는 내용의 편지를 받았다. 불과 열두 살이었다. 이 소녀는 바다로 뛰어들어 목숨을 끊었다.

이런 소식을 처음 접할 때는 해적에게 화가 난다. 자연히 소녀 편을 들게 된다. 좀 더 깊이 들여다보면 다르게 보일 것이다. 어린 소녀의 편을 들면 쉬워진다. 총을 들고 해적을 쏘기만 하면 된다. 그러나 그렇게 할 수 없다. 명상을 하면서 나는 해적 마을에서 태어나 그들과 똑같은 조건에서 자랐다면 나 역시 십중팔구 해적이 되었을 것이라고 생각했다. 나는 시암만에서 매일 수백 명의 아기들이 태어나는 걸 보았다. 우리 교육자들이나 사회사업가, 정치인 등이 이런 상황에 대해 아무것도 안 하고 있으면 25년 뒤 많은 아기들이 해적이 될 것이다. 그건 확실하다. 여러분이나 내가 지금 그 어촌에서 태어난다면 25년 뒤 해적이 될 수도 있다. 총을 들고 해적을 쏘면 여러분은 우리 모두를 쏘는 것이다. 우리 모두가 어느 정도는 이런 사태에 대해 책임이 있기 때문이다.

긴 명상 끝에 나는 시를 한 편 썼다. 해적과 열두 살 소녀와 나, 이렇게 세 명이 등장한다. 우리는 서로를 보며 서로의 안에 있는 우리 자신을 볼 수 있을까? 시의 제목은 "내 진짜 이름을 불러주오" 이다. 내가 가진 이름이 너무 많아서다. 이 이름 가운데 하나를 들으면 나는 "예" 라고 대답해야 한다.

내가 내일 떠난다고 말하지 말라
오늘도 나는 도착하고 있으니까.

깊이 들여다보라, 나는 시시각각 도착한다.
봄날 가지 위의 봉오리가 되기 위해,
아직 연약한 날개를 가진 작은 새가 되기 위해,
나의 새 둥지에서 노래 부를 수 있게,
꽃의 가슴속에서 애벌레가 되기 위해,
돌멩이에 몸을 숨긴 보석이 되기 위해.

나는 여전히 도착한다, 웃고 울기 위해,
두려워하고 희망하기 위해.
내 심장의 리듬은
살아 있는 모든 것들의 탄생과 죽음이다.

나는 강의 표면에서 탈바꿈하는 하루살이,
그리고 나는 봄이 오면 제때 도착하는 새,
하루살이를 먹기 위해.

나는 맑은 연못에서 행복하게 헤엄치는 개구리,
또 나는 풀뱀, 살며시 다가와
개구리를 잡아먹는.

나는 우간다의 어린이, 살가죽과 뼈,
두 다리가 대막대기처럼 가는,
그리고 나는 무기상, 우간다에
살인 무기를 파는.

나는 열두 살 소녀, 작은 배에 탄 난민

해적에게 겁탈 당하고 바다로 몸을 던지는.

그리고 나는 해적, 내 가슴은 아직 볼 수 없고

사랑할 수 없는,

나는 정치국 간부, 수중에 엄청난 권력을 가진,

그리고 나는 강제 노동 수용소에서 서서히 죽어가는. 내 나라 국민에게

'피의 부채'를 갚아야 하는 사람,

내 기쁨은 봄과 같다, 너무 따뜻해 각계각층의 사람들에게

꽃이 피게 한다.

내 고통은 눈물의 강, 가득 차 있어 네 개의 바다를 채운다.

내 진짜 이름을 불러주오,

내 모든 울음과 웃음을 곧바로 들을 수 있게,

내 기쁨과 고통이 하나라는 걸 알 수 있게.

내 진짜 이름을 불러주오,

깨어날 수 있게,

그리고 내 마음의 문이 열릴 수 있게,

측은지심의 문이.

고통이
측은지심을 키운다

우리는 지난 30년 동안 베트남에서 '참여불교'를 실천해 왔다. 전쟁 중인데 명상실에 앉아 있을 수만은 없었다. 우리는 어디에서나 알아차림 수행을 해야 했다. 특히 가장 극심한 고통을 겪고 있는 곳에서.

전쟁 중에 마주친 이런 종류의 고통과 접하면 우리 인생이 별로 의미가 없거나 쓸모가 없을 때 겪는 고통이 치유될 수 있다. 여러분이 우리가 전쟁 중에 겪은 것과 같은 고난을 당하면, 여러분 스스로가 고통받는 수많은 사람들에게 측은지심의 원천이 되고 큰 도움이 될 수 있다는 걸 알게 된다. 그러한 절절한 고통을 겪으며 여러분은 스스로 일종의 안도와 기쁨을 느낀다. 여러분이 측은지심의 도구라는 걸 알기 때문이다. 그런 절절한 고통을 이해하고 그 가운데서 측은지심을 실현하면, 여러분은 사는 게 매우 힘들더라도 기쁨에 찬 사람이 된다.

지난 겨울 나는 친구 몇몇과 함께 홍콩의 난민촌을 찾았다. 많은 고통을 목도했다. 겨우 한두 살 된 아이들의 '보트 피플'도 있었다. 불법 이민으로 분류돼 곧 본국으로 송환될 처지였다. 이 아이들은 오는 도중에 부모를 다 잃었다. 이런 고통을 보고 있노라면 유럽과 미국의 친구들이 겪고 있는 고통은 대단한 것이 아니다.

이런 일을 접하고 돌아올 때마다 우리는 파리라는 도시가 진짜라는 느낌이 안 든다는 걸 안다. 이 사람들이 사는 것과 세계의 다른 지역에서 겪는 고통의 현실은 너무나도 다르다. 저쪽은 저러한데 이 사람들은 어떻게 이렇게 살 수 있지 하는 의문이 들었다. 그러나 그런 고통과 접하지 않고 파리에서 10년 살면 정상이라고 느끼게 된다.

명상은 접촉점이다. 굳이 고통을 겪는 곳에 갈 필요가 없을 수도 있다. 명상 방석 위에 조용히 앉아 있으면 다 볼 수 있다. 모든 것을 현실로 만들 수 있고 이 세상에서 벌어지고 있는 일들을 알 수 있다. 그런 종류의 앎과 측은지심, 이해는 자연스럽게 생긴다. 자기 나라를 떠나지 않고 사회적 행동을 할 수 있는 것이다.

행동하는
사랑

여러분과 같이 여행하면서 나는 우리와 우리 주변에서 지금 일어나고 있는 일들에 대한 알아차림을 유지하는 데 도움이 되는 여러 수행법을 소개했다. 이제 좀 더 넓은 세상으로 나아가면서 우리에게 도움이 되고 우리를 보호해줄 수 있는 추가적인 지침들을 소개한다. 우리 공동체의 몇몇 수행자들은 다음과 같은 원칙을 실천해 왔다. 나는 여러분들도 지금의 세계를 어떻게 살 것인지 선택을 하는 데 이런 원칙들이 도움이 될 것이라 생각한다. 우리는 이런 원칙들을 '연결되어 있는 존재' 교단의 14대 계율이라고 부른다.

1. 어떤 주의나 이론 또는 이데올로기를 맹신하지도 말고 거기에 구속되지도 말라. 모든 사고 체계는 길잡이 수단이다. 그것들은 절대 진리가 아니다.

2. 당신이 지금 갖고 있는 지식이 불변이고 절대적 진리라고 생각하지 말라. 편협함을 버리고 현재의 관점에 얽매이지 말라. 다른 사람들의 관점을 열린 마음으로 받아들일 수 있게 집착을 버리도록 하라. 진리는 살아가면서 찾아지는 것이지 단순히 개념적 지식에 있지 않다. 평생을 살아가면서 배우고 항상 자신과 세계 속에서 현실을 관찰하려는 자세를 가져라.

3. 어린이들을 포함해 다른 사람들에게 권위나 협박, 돈, 선전, 심지어는 교육 등 어떠한 수단을 통해서도 당신의 견해를 취하도록 강요하지 말라. 그 대신 마음을 나누는 대화를 통해 다른 사람들이 광신주의와 편협함을 버리도록 도와라.

4. 고통과의 접촉을 피하거나 고통 앞에서 눈감지 말라. 세상살이에서 고통의 존재에 대한 앎을 놓치지 말라. 개인적 접촉이나 방문,

모습과 소리 등 모든 수단을 동원해 고통받는 사람들과 함께 할 수 있는 방법을 찾아라. 그러한 수단을 통해 스스로와 다른 사람들이 세상에서 벌어지는 고통의 현실에 깨어있게 하라.

5. 수백만 명이 굶고 있는데 부를 축적하지 말라. 명성이나 이익, 부 또는 관능적 쾌락을 당신의 삶의 목표로 삼지 말라. 소박하게 살고 도움이 필요한 사람들과 시간과 에너지, 물질 자원을 나누도록 하라.

6. 분노나 증오심을 유지하지 말라. 당신의 의식 속에 아직 씨앗으로 있을 때 뚫고 들어가 변모시키도록 하라. 분노나 증오가 생기는 즉시 분노나 증오의 본성과 그것들을 일으킨 사람들의 본성을 알고 이해할 수 있게 호흡에 관심을 돌려라.

7. 스스로를 분산시키지도 말고 주변 환경에 내맡기지도 말라. 지금 이 순간에 일어나고 있는 일로 돌아올 수 있게 알아차림 호흡 수행을 하라. 스스로와 그 주변에 있는, 경이롭고 상쾌하고 치유해주는 것들과 접촉하라. 의식의 깊은 곳에서 변모의 작업이 용이하게 이뤄지도록 스스로에게 기쁨과 평화 그리고 이해의 씨앗을 심어라.

8. 불화를 일으키고 공동체를 분열시키는 말을 입 밖에 내지 말라. 아무리 작더라도 화해시키고 모든 갈등을 해소할 수 있게 노력을 다 하라.

9. 개인적인 이익을 취하거나 사람들에게 각인시키기 위해 참되지 않은 것을 말하지 말라. 분열과 증오를 일으키는 말을 입 밖에 내지 말라. 확실한지 잘 모르는 소식을 퍼뜨리지 말라. 잘 모르는 것을 트집 잡거나 꾸짖지 말라. 늘 참되고 건설적인 말을 말라. 불의에 대해 말하는 것이 당신 자신의 안전을 위협할지라도 거리낌 없이 얘기할 수 있는 용기를 가져라.

10. 개인적인 이득이나 이익을 위해 종교 공동체를 이용하거나 공동체를 정당으로 바꾸려 하지 말라. 그렇지만 종교 공동체는 탄압이나 불의에 결연히 맞서야 하며 당파적인 갈등에 휘말림 없이 상황을 바꾸려 애써야 한다.

11. 인간이나 자연에 해가 되는 직업을 갖지 말라. 다른 사람들의 살아갈 기회를 빼앗는 회사에 투자하지 말라. 당신의 측은지심의 이

상을 실현하는 데 도움이 되는 직업을 택하라.

12. 살생하지 말라. 남들도 살생하지 못하게 하라. 생명을 보호하고 전쟁을 막을 수 있는 수단을 그 어떤 것이라도 찾아라.

13. 다른 사람들의 것은 절대 소유하지 말라. 다른 사람들의 재산을 존중하되 그 사람들이 인간의 고통이나 다른 생명체들의 고통을 이용해 배를 불리지 못하게 하라.

14. 당신의 몸을 학대하지 말라. 존중심을 갖고 다루도록 하라. 당신의 몸을 단순한 도구로 바라보지 말라. 득도를 위해 생명의 에너지를 보존하라. 사랑이나 언약이 없이 성적인 표현을 해서는 안 된다. 성적인 관계에서는 그로 말미암아 생길 수 있는 미래의 고통을 알아야 한다. 다른 사람들의 행복이 지켜지도록 그 사람들의 권리와 언약을 존중하라. 새로운 생명을 이 세상에 탄생시키는 책임감을 충분히 자각하라. 새로운 생명을 들여보내는 이 세계에 대해 명상하라.

강

옛날에 언덕과 숲과 목장을 지나가는 아름다운 강이 있었다. 강은 기쁨에 넘치는 물줄기로 출발했다. 산꼭대기를 달려 내려올 때는 늘 춤추고 노래하는 샘이었다. 그 때는 아주 어렸다. 저지대로 내려오면서 속도가 느려졌다. 강은 바다로 갈 생각을 했다. 커가면서 언덕과 목장을 우아하게 굽이쳐가는 아름다운 모습을 익히게 됐다.

어느 날 강은 자신 안에 구름이 있다는 걸 알게 됐다. 온갖 종류의 색깔과 형태를 가진 구름 말이다. 강은 그 당시 오로지 구름을 뒤쫓기만 했다. 강은 구름을 갖고 싶어 했다. 자기만의 구름을. 하지만 구름은 하늘에서 떠다니며 여행한다. 그리고 형태도 늘 바꾼다. 어떤 때는 외투의 모습을, 어떤 때는 말의 모습을 하고 있다. 구름의 일정하지 않고 늘 변화하는 본성 때문에 강은 무척 괴로워했다. 강의 즐거움과 기쁨은 이미 구름을 하나하나 쫓는 것이 되어버렸다. 그러다 절망과 분노, 증오가 일상이 됐다.

그러던 어느 날 강한 바람이 불어와 하늘의 모든 구름을 휩쓸어갔다. 하늘은 완전히 텅 비어졌다. 더 이상 쫓아다닐 구름이 없게 되자, 강은 인생의 허무를 느꼈다. 죽고 싶어졌다. "구름이 없는데 살아서 뭐하나?" 그러나 강이 어떻게 자기 목숨을 끊는단 말인가?

그날 밤 강은 처음으로 자기 자신에게로 돌아갈 기회를 얻었다. 강은 자기가 단 한 번도 본 적이 없는 것을 자기 밖에서 너무 오래도록 쫓았던 것이다. 그날 밤은 강이 물이 강둑에 세차게 부딪치는 소리, 자신의 울음소리를 들을 수 있는 첫 기회였다. 자기 자신의 목소리를 들을 수 있게 되자 강은 아주 중요한 걸 발견했다.

강은 자기가 찾고 있었던 것이 이미 자기 안에 있다는 걸 깨달았다. 강은 구름이 다름 아닌 물이라는 걸 알았다. 구름은 물에서 태어나 물로 돌아갈 것이다. 그리고 강은 자기 자신도 물이라는 걸 깨달았다.

그 다음날 아침 해가 하늘에 뜨자 강은 아름다운 것을 발견했다. 강은 처음으로 푸른 하늘을 보았다. 전에는 전혀 알지 못했다. 강은 구름에만 관심이 있어 모든 구름의 고향인 하늘을 미처 보지 못했던 것이다. 구름은 무상하다. 그러나 하늘은 불변이다. 강은 광대무변한 하늘이 애초부터 자기 가슴속에 있었다는 걸 깨달았다. 이런 위대한 통찰이 강에게 평화와 행복을 가져다주었다. 거대하고 경이로운 푸른 하늘을 보면서 강은 자신의 평화와 안정을 다시는 빼앗기지 않으리라는 것을 알았다.

그날 오후 구름이 돌아왔다. 그러나 강은 이제 구름을 소유하고 싶지 않았다. 강은 개개의 구름의 아름다움을 볼 수 있었다. 그래서 구름 모두를 환영할 수 있었다. 구름이 오면 자비심으로 맞아주었고, 구름이 떠나고 싶으면 즐거운 마음으로, 자비심으로 손을 흔들어주었다. 강은 모든 구름이 자기라는 걸 깨달았다. 강은 구름과 자기 자신 중 하나를 고를 필요가 없었다. 평화와 조화가 강과 구름 사이에 존재했다.

그날 저녁 경이로운 일이 벌어졌다. 저녁 하늘에 가슴을 활짝 열어 젖히자, 자기 자신 안에 있는 보석처럼 아름답고 둥그런 만월의 모습이 보였다. 그토록 아름다운 모습을 보게 되리라고는 상상조차 못했었다. 매우 아름다운 한시가 한 편 있다.

"신선하고 아름다운 달이 창공을 여행한다. 살아 있는 존재의 마음의 강이 자유로울 때 아름다운 달의 이미지는 우리 각자를 비출 것이다."

이것이 그 순간의 강의 마음이었다. 강은 자기 가슴속에 아름다운 달의 모습을 받았다. 그리고 물과 구름과 달이 서로 손을 잡고 천천히 걷기 명상을 하며 바다로 나아갔다.

뒤쫓을 건 아무것도 없다. 우리는 스스로에게 돌아가 호흡과 미소와 우리 자신과 우리의 아름다운 환경을 즐기면 된다.

21세기에
들어가며

'정책'이라는 말이 요즈음 널리 쓰인다. 모든 일에 정책이라는 것이 있는 듯하다. 나는 소위 선진국이 쓰레기를 거대한 배에 실어 제3세계로 보내는 쓰레기 정책을 면밀히 검토하고 있다고 들었다.

나는 우리의 고통을 다루는 '정책'이 필요하다고 생각한다. 우리는 그걸 용서하고 싶지는 않지만 우리 자신과 다른 사람들의 행복을 위해 우리의 고통을 활용하는 방법을 찾을 필요가 있다. 20세기에는 이루 말할 수 없는 고통이 있었다. 두 차례의 세계 대전과 유럽의 강제 수용소, 캄보디아의 킬링 필드, 정착할 곳이 없어 자기 나라를 탈출하는 베트남과 중미와 기타 지역의 난민 행렬 등. 우리는 이런 종류의 고통을 처리할 정책을 구체화시킬 필요가 있다. 우리는 20세기의 고통을 거름으로 삼아 다함께 21세기의 꽃을 피울 수 있게 할 필요가 있다.

가스실과 강제 수용소 등 나치 만행에 대한 사진과 프로그램을 볼 때 우리는 두렵다. "우리는 내가 안 했어. 그들이 한 거야."라고 말할지도 모른다. 그러나 우리가 거기에 있었다면 똑같은 일을 했을지도 모른다. 아니면 실제 많은 사람들이 그랬듯이 만행을 중지시킬 용기가 없었을지도 모른다. 우리는 땅이 비옥해지도록 이 모든 것들을 거름 더미에 집어넣어야 한다. 오늘날 독일에서는 젊은이들이 자기들도 어떤 식으로든 그 고통에 책임이 있다는 콤플렉스를 갖고 있다. 이 젊은이들과 전쟁에 책임 있는 세대가 새로 시작하고 서로 힘을 합쳐 다음 세대의 우리 자손들이 똑같은 실수를 되풀이하지 않도록 알아차림의 길을 만드는 것이 중요하다. 문화적 다양성을 보고 음미하는 관용의 꽃은 우리가 21세기의 어린이들을 위해 가꿀 수 있는 하나의 꽃이다. 다른 하나의 꽃은 고통의 진실이다. 20세기에는 너무나도 불필요한 고통이 많이 있었다. 같이 일하고 배울 뜻이 있다면 우리 모두는 우리 시대의 실수로부터 이득을 볼 수 있다. 측은지심과 이해의 눈으로 보면 우리는 아름다운 정원과 분명한 길을 다음 세기에 넘겨줄 수 있다.

자녀의 손을 잡고 밖으로 나가 풀밭에 앉아보시라. 두 사람은 초록의 풀과 거기에서 자라는 작은 꽃과 하늘을 조용히 바라보고 싶어 할 것이다. 같이 호흡하고 미소 짓는 것. 이것이 평화 교육이다. 이런 아름다운 것들을 음미하는 방법을 안다면 우리는 다른 것을 찾아 나설 필요가 없을 것이다. 평화는 매 순간마다, 숨 쉴 때마다, 걸음걸음마다 있다.

나는 여러분과 함께 한 여행이 즐거웠다. 여러분도 즐거웠기를 바란다. 우리는 다시 만나게 될 것이다.

이 순간, 마음의 평화 얻기

어떻게 하면 바쁜 일상생활 속에서 마음의 평화를 얻고, 마음 밭을 가꾸고, 더 나아가 더불어 살 수 있을까? 이 책은 그 지혜를 터득하도록 도와주는 길잡이다. 선승이 쓴 책이지만 난해한 불교 용어는 찾아보기 힘들다. 불교적 통찰은 선문답이 아니라 알기 쉬운 비유를 통해 전달하고 있다. 워낙 불교적 색채가 엷고 서술이 명쾌하다 보니 스님이 쓴 책이 맞나 하는 느낌마저 든다. 그만큼 독자는 종교적 배경과 상관없이 편하게 읽을 수 있다. 쉬운 비유이지만 내용은 심오하니 여러 번 읽는 게 좋다.

틱낫한 스님이 이 책에서 일관되게 강조하고 있는 것은 '알아차림'의 상태로 살라는 것이다. 알아차림이란 도대체 무엇인가? 남방 불교

국가의 수행승들이 쓰는 인도 빠알리어의 sati를 번역한 명상 수행 용어다. 한자로는 正念, 영어로는 Mindfulness라고 한다. 한눈 팔지 말고, 판단하지도 말고, 지금 이 순간에 내 몸과 마음 안팎에서 일어나고 있는 일에 주의를 기울여 있는 그대로 본다는 뜻이다.

이 책에서 스님은 알아차림을 위한 훈련으로 의식적 호흡을 제시하고 있다. 숨을 들이쉴 때는 들이쉰다는 것을 알고 내쉴 때는 내쉬는 것을 아는 것이다. 그 다음 단계로 "내 몸은 편안해진다." "나는 미소 짓는다." 같은 구절을 암송하며 의식적으로 호흡하고 미소 짓는다. 스스로에게 최면을 걸듯이 명상을 하는 것이다. 40년, 50년 수행한 고승들도 이렇게 한다고 한다. 스님은 1982년 프랑스 보르도 지방에 수행 공동체인 플럼 빌리지를 세웠다. 플럼 빌리지를 일구는 과정에서 큰 도움을 준 프랑스 친구가 세상을 떠났다. 스님은 번민으로 잠을 못 이뤘다. 이 때 스님이 한 것이 바로 의식적 호흡이다. 가장 기본적이고 중요한 알아차림 수행이다. 이 의식적 호흡의 생활화를 위한 스님의 아이디어가 재미있다. 운전하다가 빨간 신호등에 걸렸을 때는 짜증내지 말고 호흡을 하라는 것이다. 또 명상 방석 위에 앉아 있을 때는 편안해하다가 공항이나 은행, 슈퍼마켓 같은 데 가면 딴 사람이 되는데 그러지 말고 호흡 수행을 하라는 것이다.

의식적 호흡 같은 알아차림 수행을 하는 근본적인 이유는 무엇일까? 지금 여기에 있는 행복을 느끼기 위해서다. 행복은 저 멀리 있는 게 아니고 이미 여기 있는데 자꾸 딴 생각을 하니까 놓친다는 게 스님의 지론이다. 모두들 희망은 좋은 것이라고 말하지만 스님 생각은 좀 다르다. 지금 이 순간으로 돌아와 기쁨과 평화를 느끼는데 방해가 된다는 것이다. 스님은 중국 당나라 때 임제종을 세운 고승, 임제 선사의 42대 법손(法孫)이다. 그 임제 선사의 어록에 즉시현금 갱무시절(卽時現今 更無時節)이란 구절이 있다. 직역하면 바로 지금이지 다시 시절은 없다는 말이다. 흘러가버린 과거나 오지 않은 미래에 마음을 두지 말고 지금 이 순간을 최대한 살라는 말이다.

밥 먹을 때는 밥을 먹고 걸레질할 때는 걸레질을 해야 한다. 온갖 딴 생각에 사로잡혀 있으면 밥을 먹는 즐거움, 걸레질하는 즐거움을 놓치게 된다. 걸을 때도 어딜 가기 위해 기계적으로 바삐 걷는 것이 아니라 알아차림의 상태로 걷는다면 대지의 숨결을 느끼고 기쁨을 맛볼 수 있다. 어렸을 적 겨울에 딱지치기나 팽이치기를 하고 집에 돌아와 김칫국에 밥을 말아 맛있게 먹곤 했던 기억이 새롭다. 김치 국물의 매콤한 단맛과 국에 풀어 넣은 버터 조각의 고소함을 혀의 섬세한 감각으로 한껏 느끼며 아무 근심 걱정 없이 행복하게 밥을 먹었던 것이다. 이것이 어린 시절의 알아차림의 경험이었지 않나 싶다. 지금은 머릿속이 복잡해 그런 느낌으로 먹지 못한다. 하기야 스님도 알아차림은 어른보다 어린아이가 더 잘한다고 하지 않는가?

지난 2003년 틱낫한 스님이 방한했을 때의 일이다. 스님은 전남 장성의 백양사로 조계종 5대 종정을 지낸 서옹 스님을 찾아갔다. 스님은 임제종의 법통을 이어받은 법형제로서 대화 내내 무릎을 꿇고 서옹 선사에게 존경심을 표했다. 그리고는 "Pure Land is Now or Never"라는 문구가 담긴 액자를 선물했다. 지금 있는 이 자리가 정토(淨土)요, 극락이다.

알아차림 명상을 하면 우리의 마음 밭을 가꾸는 데도 큰 밑거름이 된다. 예를 들어 화 같은 부정적인 감정은 우리 마음을 어지럽힌다. 그렇다고 욕을 하고 주먹질을 하고 때려 부순다고 될 일은 아니다. 그 뿌리는 멀쩡히 살아 있다. 의식적 호흡이나 걷기 명상을 통해 우선 화를 잘 보살피고 다스려야 한다. 그 화를 가라앉힌 다음 알아차림의 상태를 계속 유지하며 그 뿌리를 깊이 들여다본다. 그러면 화라고 하는 날감자가 어느새 익은 감자로 변한다. 화를 이해와 사랑, 측은지심이라는 긍정적인 감정으로 변모시킬 수 있다는 것이다. 또 증오와 두려움, 우울함, 슬픔 같은 부정적 감정의 씨앗에는 물을 주지 않고 평화와 행복, 기쁨 같은 긍정적인 씨앗을 심는다면 우리 마음에 아름다운 정원을 가꿀 수 있다. 알아차림-씨앗-변모를 중심으로 전개되는 틱낫한 스님 특유의 수행론이다.

이 책 후반부에서는 틱낫한 스님이 독특한 방식으로 풀어나가는 불교적 통찰과 만날 수 있다. 세상 만물은 어떤 원인과 조건에 의해 생겨난 것일 뿐, 무아(無我) 즉 나라고 할 만한 것이 없다는 게 불교의 연기론(緣起論)이다. 스님은 종이와 구름의 비유를 통해 그 이치를 설명한다. 종이는 구름이 비가 되어 나무가 자라고 그 나무를 베어야 비로소 생겨난다. 결국 종이는 종이 아닌 것들로 이뤄져 있다. 그렇다고 마냥 없는 것도 아니다. 종이는 여기 이렇게 버젓이 있다. 스님은 존재의 이런 오묘함을 Interbeing이라는 자신의 신조어로 포착한다. 종이와 구름처럼 세상 만물은 '연결된 존재'라는 뜻이다. 만물은 끊임없이 변화를 겪기 때문에 지금 이 순간 겉으로는 달라보여도 실상은 별개의 실체가 아니라는 불이의 사상과 맥을 같이 한다.

이러한 통찰은 나와 세계의 관계에 대해 새로운 지평을 열어준다. 타인을 진정으로 이해하고 사랑하는 법을 알게 해주며 상생과 화해, 공존의 중요성을 일깨워주는 것이다. 남북 베트남이 서로 총부리를 겨누고 미국까지 뛰어든 베트남전 당시, 스님이 전쟁의 종식을 촉구하며 평화운동에 앞장선 것도 이런 깨달음에 바탕을 두고 있다.

스님은 구름을 쫓는 강의 비유로 이 책을 마무리한다. 너무나도 구름이 갖고 싶어 필사적으로 구름을 쫓아다녔던 강은 마침내 구름이 자기 안에 있다는 걸 깨닫는다. 행복이라는 건 어디 먼데 따로 있는 게 아니고 바로 내 안에 있다는 메시지다. 독자 여러분이 차분한 마음으로 스님과 함께 여행하다 보면 이 책의 원제처럼 '발걸음마다 평화'를 느끼게 될 것이라고 믿는다.

_ 2015년 가을
김동섭

옮긴이 김동섭

서울대 영문학 학사 및 석사. MBC 국제부, 사회부, 정치부를 거쳐 도쿄 특파원, 정치국제 에디터, 뉴스데스크 담당 부국장, 논설위원 역임. 현재 MBC 심의국 심의위원. 역서로 〈잠자기 전 읽기만 해도 나쁜 기분이 사라지는 마음의 법칙 26〉이 있다.

틱낫한의 평화

초판　1쇄 발행 _ 2015년 10월 10일

지은이　　｜ 틱낫한
옮긴이　　｜ 김동섭
펴낸이　　｜ 김성한
펴낸곳　　｜ 인빅투스
등록　　　｜ 2014년 2월 28일(제2014-123호)
주소　　　｜ 서울시 강남구 언주로 165길 7-10(신사동 624-19) 우)06023
내용문의 ｜ 02-3446-6206
구입문의 ｜ 02-3446-6208
팩스　　　｜ 02-3446-6209

ISBN　979-11-86682-09-8　03840